Antônio José da Silva
o Judeu

O LABIRINTO DE CRETA

Título Original: *Labirinto de Creta*

Autor
Antônio José da Silva

Editor-chefe
Tomaz Adour

Organização, introdução, posfácio, glossário e notas
Carlos Gontijo Rosa

Edição e preparação de texto
Bruno Anselmi Matangrano

Revisão
Tomaz Adour e Carol Chiovatto

Diagramação
Marcelo Amado

Capa
Dandi

Texto de quarta capa
Bruno Anselmi Matangrano

Apresentação da coleção
Annie Gisele Fernandes e
Bruno Anselmi Matangrano

Prefácio
Flavia Maria Corradin

Coleção *O Melhor de Cada Tempo*,
dirigida por Annie Gisele Fernandes e Bruno Anselmi Matangrano

Bibliotecária responsável: Ana Lúcia Merege - CRB-7 4667.

S 586

Silva, Antônio José da
O Labirinto de Creta / Antônio José da Silva; organização, posfácio, introdução e notas de Carlos Gontijo Rosa: prefácio de Flávia Maria Corradin. – Rio de Janeiro: Vermelho Marinho, 2016.

ISBN: 978-85-8265-082-0

1. Teatro português 2. Literatura portuguesa I. Rosa, Carlos Gontijo II. Corradin, Flavia Maria III. Título

CDD 869.2

Índice para catálogo sistemático: 1. Teatro : Literatura portuguesa 869.2

REPÚBLICA PORTUGUESA

EDITORA VERMELHO MARINHO
Rua Visconde de Silva, 60/casa 102,
Botafogo, Rio de Janeiro/RJ, 22.271-092.

CULTURA
DIREÇÃO-GERAL DO LIVRO, DOS ARQUIVOS E DAS BIBLIOTECAS
Edifício da Torre do Tombo, Alameda da Universidade
1649-010 Lisboa, PORTUGAL
TEL. (+351) 210 037 100 - FAX (+351) 210 037 101

Esta edição conta com o apoio do Diretório-Geral do Livro, dos Arquivos e das Bibliotecas (DGLAB), Secretaria de Estado da Cultura, Governo de Portugal.

Introdução, Posfácio, Glossário e Notas

CARLOS GONTIJO ROSA

Prefácio

FLAVIA MARIA CORRADIN

SUMÁRIO

O LABIRINTO DE CRETA E O MELHOR DO TEATRO BARROCO PORTUGUÊS

Autor célebre do período barroco, cuja fama se estendeu para além das fronteiras nacionais e temporais, Antônio José da Silva, mais conhecido como o Judeu, é pouco, ou quase nada lido no Brasil hoje em dia, apesar de sua evidente importância histórica, de sua trágica biografia (constantemente encenada e romanceada por autores de grande calibre, como Gonçalves de Magalhães, Camilo Castelo Branco e Bernardo Santareno) e da qualidade de suas peças, dentre as quais se destaca *O Labirinto de Creta*, considerada por muitos seu texto mais bem acabado.

Nesta obra, o leitor é levado ao mito grego de Teseu, no qual o valente herói filho de Poseidon enfrenta o Minotauro e conquista as graças da Princesa Ariadna, filha do cruel Rei Minos. Dialogando com Eurípides, Sêneca, Racine e outros tragediógrafos clássicos, o Judeu levou ao público lusitano dos Setecentos uma versão jocosa, em que privilegia a ação e os jogos de erros, bem como a temática do amor e as lacunas do mito original, relegando ao segundo plano as futuras aflições – já tão largamente exploradas por outros dramaturgos –, que se abaterão sobre os protagonistas.

Em nossa edição, cuidadosamente preparada pelo pesquisador e ator Carlos Gontijo Rosa, especialista na obra do Judeu, o leitor encontrará o texto original integral, atualizado para a ortografia atual e acompanhado de escritos do jovem especialista: há notas vocabulares e históricas, um glossário com nomes de lugares e personagens gregas e/ou mitológicas, uma Introdução, que nos oferece uma chave de leitura para a peça judeína, e um posfácio, no qual é apresentada uma análise que conjuga o ponto de vista literário e o cênico. Integra o volume interessante prefácio assinado pela professora de Literatura Portuguesa da Universidade de São Paulo, Flavia Maria Corradin – também especialista na obra do autor – no qual a trágica vida e o conjunto da obra de António José da Silva são considerados de forma breve, porém aprofundada.

O Labirinto de Creta integra a coleção *O Melhor de Cada Tempo,* voltada à publicação de obras clássicas da literatura mundial, ainda inéditas no nosso país, ou há muito esgotadas, como é o caso desta célebre peça do barroco português. Com esse volume, *O Melhor de Cada Tempo* inicia a publicação de obras da literatura portuguesa – nesse caso, com importante apoio do Governo Português e da Direção-Geral do Livro, dos Arquivos e das Bibliotecas (DGLAB).

Annie Gisele Fernandes & Bruno Anselmi Matangrano,
Diretores da Coleção.

BIOBIBLIOGRAFIA DE ANTÔNIO JOSÉ DA SILVA

Flavia Maria Corradin

Em 1705, nasce, no Rio de Janeiro, Antônio José da Silva, filho de cristãos-novos. No ano de 1712, toda a família é levada a Lisboa, onde os pais do dramaturgo deveriam responder a processos movidos pela Inquisição. Desde cedo, Antônio José da Silva, por alcunha "o Judeu", respira o clima de terror e temor, até que, em 1726, ele próprio é preso sob acusação de judaizante, enquanto cursava Cânones em Coimbra. Pouco tempo demora o processo, sendo o escritor, alguns meses depois, naquele mesmo ano, reconciliado com a Santa Igreja Católica, embora lhe tenha sido imposto o uso do sambenito, marca do cristão-novo recém incorporado ao seio da Igreja. Conclui o curso de Cânones, transferindo-se para Lisboa, onde, ao que consta, teria exercido a advocacia, seguindo os passos do pai. Ao mesmo tempo, o advogado Antônio José da Silva dedica-se às Letras, compondo poemas e principalmente peças de teatros – óperas joco-sérias – pelas quais será reconhecido pela história literária depois de sua morte. Em 1737, é novamente preso pela Inquisição, de cujos cárceres sai condenado à morte. O Judeu é queimado num auto-de-fé celebrado em outubro de 1739.

A meteórica carreira dramática de Antônio José da Silva legou-nos seguramente oito peças, encenadas no Teatro do Bairro Alto, em Lisboa, entre 1733 e 1738. Reunidas em dois volumes do *Teatro cômico português*, editados em 1744, por Francisco Luís Ameno, estando, portanto, já o comediógrafo morto, contam-se os seguintes títulos: *Vida do grande D. Quixote de la Mancha e do gordo Sancho Pança* (1733); *Esopaida ou vida de Esopo* (1734); *Os encantos de Medeia* (1735); *Anfitrião ou Júpiter e Alcmena* (1736); *O Labirinto de Creta* (1736); *Guerras do Alecrim e Mangerona* (1737); *As variedades do Proteu* (1737); *Precipício de Faetonte* (1738). Resta ainda uma peça, escrita em espanhol, sem data e de autoria incerta, a qual foi atribuída ao comediógrafo pelo crítico francês Claude-Henri Frèches, chamada *El Prodigio de Amarante*. Estudos mais recentes, especialmente o trabalho de José de Oliveira Barata, refutam tal afirmativa.

O exame dos títulos das "óperas" revela que, exceção feita a *Guerras do Alecrim e Mangerona*, cujo tema foi buscado na realidade setecentista portuguesa, todos os outros títulos remetem a fontes mitológicas ou literárias. Impõe-se, assim, para a análise da comediografia de Antônio José da Silva, uma perspectiva que, batizada pela Linguística moderna de intertextualidade, nos habilita a enfocar as "óperas" do Judeu dialogando com os paradigmas a partir dos quais foram criadas.

Se tomarmos a título de exemplo, apenas as duas "óperas" que revelam nitidamente o diálogo travado com paradigmas literários, portanto facilmente reconhecíveis – *D. Quixote de la Mancha e do gordo Sancho Pança* (1733) e *Anfitrião ou Júpiter e Alcmena* (1736) –, teremos uma mostra da importância que tal perspectiva crítica exerce para a compreensão da mundividência de o Judeu.

O título da primeira "ópera" do autor remete imediatamente para a novela cervantina, publicada em dois volumes, o primeiro vindo a lume em 1605, sob o título de *El ingenioso hidalgo D. Quijote de la Mancha*, e o segundo em 1615, intitulado *El ingenioso Caballero D. Quijote de la Mancha*. Reside no segundo tomo o paradigma fundamental da "ópera" lusa, uma vez que Antônio José reaproveita total ou parcialmente, falas, episódios e situações.

Estabelecer com precisão os paradigmas literários de que partiu o Judeu para a composição de *Anfitrião ou Júpiter e Alcmena* já não é tão simples, dado o grande número de escritores que puseram em cena os amores adúlteros do onipotente Júpiter com Alcmena. Fica, no entanto, patente que a "ópera" dialoga com o *Anfitrião* plautino (séculos III ou II a.C.), com a *Comédia dos Anfitriões*, de Camões (1587) e com o *Amphitryon*, de Molière (1688).

Subjaz, ainda, nas duas "óperas" supracitadas, mas também nas outras, o diálogo que travam com o contexto sociocultural. No caso do *Quixote* luso, transparecem as fórmulas inquisitoriais e testamentárias, além do estilo barroco, enquanto que o *Anfitrião* dialoga frequente e intencionalmente com o *corpus* imagético do Barroco.

Movidas pela intertextualidade, as "óperas" do Judeu refletem e refratam (con)textos. Debruçam-se sobre uma realidade livresca ou mitológica, na esteira da "imitação dos bons autores" e do cânon imagético-estilístico do Barroco. Dialogando com representações livrescas ou mitológicas da realidade, portanto uma mimese de segunda mão, o Judeu não intervém diretamente no real, uma vez que ele sempre (e só) de forma oblíqua confronta aqueles sistemas e valores, tanto artísticos como ideológicos, que são transmitidos e consagrados pelo modelo dos bons autores. Ele discute e dialoga, portanto, com a "autoridade" dos paradigmas, ora negando-a (paródia), ora reformando-a (estilização), ora confirmando-a (paráfrase).

Desse modo, percebe-se que não está em causa no *Quixote*, no *Anfitrião*, no *Labirinto*, ou em qualquer um dos textos do Judeu, a intervenção direta sobre a realidade de seu tempo, e sim a contestação e depuração de valores e sistemas vigentes que, se anacrônicos, como a quixotesca heroicidade medievo-cavaleiresca, serão ridicularizados por meio da paródia; se decadentes ou dessorados, como o *corpus* literário do barroco, devem ser recuperados sob a égide de cânones ideais; se preconceituosos, como a óptica marialva dos paradigmas neolatinos que tratam das aventuras adulterinas de Júpiter, precisam ser reconsiderados e reformulados.

Esse diálogo indireto com o seu tempo – a realidade, sua contemporânea figurada nos (con)textos – revela uma visão de mundo ambígua, na medida em que, reconhecendo ou denunciando o anquilosamento de certos valores, ora pretende negá-los ou destruí-los através do ridículo, da derrisão, da caricatura (atitude paródica no *Quixote*), ora intenta depurá-los ou ressuscitá-los (a paráfrase e a autoparódia crítica ao *corpus* imagético do Barroco), ora procura reformulá-los, enfocando-os sob uma nova e original óptica (o nível estilizador do *Anfitrião*). Se, de um lado, julga anacrônicos e míopes os valores aristocrático-quixotescos ou o machismo marialva, de outro, cultiva e perpetua o passado, seja reconhecendo o prestígio e a "autoridade" dos bons modelos pretéritos, seja não considerando o Barroco agonizante como um estilo passadiço e já extemporâneo. Esta ambivalência leva-nos a vê-lo mais como um eco intertextual da "autoridade" do Passado do que como um forjador, realmente original e criativo, do Futuro.

Se, por um lado, a comediografia de Antônio José da Silva serve-se de paradigmas para a sua composição, por outro, a obra e notadamente a vida do dramaturgo constituem modelos com os quais travaram diálogo autores brasileiros e portugueses ao longo dos séculos. Destacam-se Gonçalves de Magalhães (1811-1882), Camilo Castelo Branco (1825-1890) e Bernardo Santareno (1924-1980).

A peça *Antônio José ou o poeta e a Inquisição*, de Magalhães, datada de 1836, é a primeira tentativa de resgatar a memória de Antônio José, uma vez que, dentro dos moldes românticos, busca inaugurar a dramaturgia brasileira com um assunto nacional, conforme se depreende da *Breve notícia sobre Antônio José da Silva* (1839), texto que antecede a peça. Além de ser bastante discutível o fato de o Judeu constituir genuinamente assunto nacional, a escassez dos dados biográficos de que Magalhães dispunha em meados do século XIX permitiram-lhe, ou mesmo propiciaram a ele, oscilar entre a verdade histórica e a mimese recriadora. Desse modo, Gonçalves de Magalhães criou um Judeu que muito pouco tem a ver com o ser civil, nascido no Rio de Janeiro em 1705; tampouco deixou sua imaginação vagar livremente pelas teias do Romantismo, uma vez que sua formação neoclássica o cercava, para fazer de Antônio José um verdadeiro assunto nacional. Malogrado o intento, Magalhães, contudo, consegue trazer às rodas literárias o nome de Antônio José da Silva, à época completamente esquecido.

Trinta anos depois da tentativa de Gonçalves de Magalhães, vêm a lume dois volumes, intitulados *O Judeu*, de Camilo Castelo Branco. Mais uma vez a escassa bibliografia em torno de Antônio José possibilitava uma recriação bastante livre em torno do comediógrafo. Camilo, como era de esperar, deu asas à imaginação, recriando um Antônio José da Silva no contexto de uma etnia, conforme já se pode entrever no título da obra.

Um século depois da narrativa camiliana, vem a lume *O Judeu*, de Bernardo Santareno. Se a ditadura salazarista não permitia a denúncia das questões sócio-políticas da contemporaneidade, Santareno foi buscar no "olhar épico da distância", cunhado por

Bertolt Brecht (1898-1956), o tema para sua peça. Ao trazer à tona a insensatez da malha inquisitorial, o dramaturgo perspectiva as mazelas do salazarismo. Assim, em 1966, a figura de Antônio José da Silva serve para a reflexão de um Portugal tão atroz quanto aquele do reinado de D. João V.

Embora ainda sem o espaço que, consideramos, a obra de Antônio José da Silva merece, pouco a pouco estudos em torno de sua dramaturgia, além de novas edições de suas "óperas", como a que ora vem a lume, começam a preencher as lacunas da história literária luso-brasileira no que tange a Antônio José da Silva.

Flavia Maria Corradin é Professora Livre Docente de Literatura Portuguesa na Faculdade de Filosofia, Letras e Ciências Humanas da Universidade de São Paulo (USP), onde obteve os títulos de Mestre, Doutora e Livre Docente. Além de diversos capítulos de livros, prefácios, resenhas e ensaios, publicou os livros: *Antônio José da Silva, o Judeu: textos versus (con)textos* (Íbis, 1998), *Camilo Castelo Branco: uma dramaturgia entre a lágrima e o riso* (Universidade de Aveiro, 2008), *Vista d'olhos em textos dramáticos e ficcionais da literatura Portuguesa* (Todas as Musas, 2011) e organizou, juntamente com Lilian Jacoto, a obra *Literatura Portuguesa: ontem, hoje.* (Paulistana, 2008).

INTRODUÇÃO

UMA LEITURA POSSÍVEL DE *O LABIRINTO DE CRETA*

Carlos Gontijo Rosa

Primeiro, o mito

Esta peça vai contar a clássica história mitológica de Teseu e sua viagem a Creta, sua luta contra o Minotauro e seu amor por Ariadna, mas de uma maneira própria à época em que foi escrita.

Na Grécia Antiga, havia inúmeras versões de cada mito, contadas de acordo com o pensamento da cada Cidade-Estado. Teseu é o grande herói da cidade de Atenas, pois foi aquele que, segundo se acreditava, unificou esta Cidade-Estado e estabeleceu as bases da democracia. Mas, juntamente a isso, ele foi um homem que civilizou o mundo, matando monstros e vencendo tiranos, a exemplo de Héracles, o maior de todos os heróis.

A história do Minotauro começa muito antes do aparecimento do nosso herói na trama. Minos era filho de Zeus e Europa e amado pelos deuses, que atendiam à sua vontade. A seu pedido, para provar que os deuses o apoiavam em suas reivindicações ao trono de Creta, Poseidon enviou à ilha, saído do mar, um lindo touro branco, com um lunar na testa, para ser sacrificado em sua honra. Mas o touro era tão belo que Minos resolveu guardá-lo junto ao rebanho e sacrificar outro animal. Poseidon ficou tão bravo que provocou em Pasifae, esposa de Minos, uma paixão desenfreada pelo animal, que só passaria quando fosse satisfeita.

Para a consumação de seu amor, Pasifae pediu a ajuda de Dédalo, um brilhante inventor ateniense exilado em Creta junto com seu filho Ícaro, devido a crimes cometidos em sua cidade natal. Ele, então, construiu uma vaca de madeira e a cobriu com couro, para que a então rainha de Creta pudesse se disfarçar e seduzir o animal. A imitação era tão perfeita que o touro realmente copulou com ela.

Desta união, nasceu Astérion, que foi mais conhecido como Minotauro, ou o touro de Minos. Para esconder o monstro, símbolo de sua desgraça, o rei encarregou Dédalo de construir um labirinto tão engenhoso que quem lá entrasse nunca mais conseguisse escapar: o Labirinto de Creta, onde o Minotauro ficaria preso para sempre.

Muitos anos depois – e muita história depois – entra em cena Teseu, filho de Egeu, rei de Atenas. Esta cidade estava sob o jugo do Rei Minos, por vingança pela morte do príncipe cretense Androgeu, enquanto este participava de jogos em Atenas. Como punição, Atenas ficara obrigada a pagar anualmente um tributo de sete jovens de cada sexo para servir de alimento ao Minotauro.

Teseu estava entre os jovens do terceiro grupo enviado a Creta. Há divergência quanto a seu ingresso na comitiva: há versões que dizem que ele se voluntariou, ou que os atenienses demandaram que o príncipe participasse do sorteio, ou que o próprio Minos foi a Atenas escolher os enviados. Por um ou outro motivo, Teseu embarca para Creta, prometendo ao pai que derrotaria o monstro e voltaria vivo da empreitada.

Em Creta, a princesa Ariadna se apaixona pelo herói ateniense e pede a Dédalo que o ajude a escapar do labirinto. O mestre-artesão ajuda seu conterrâneo enviando, através de Ariadna, um novelo de lã, que ajudará Teseu a sair do intrincado labirinto. O herói, então, amarra uma ponta do novelo na entrada do labirinto e o desenrola enquanto segue labirinto adentro.

Do encontro entre Teseu e o Minotauro, há inúmeras versões literárias e iconográficas, descrevendo a luta de várias formas e com diversas armas. Quaisquer que sejam os meios, o fim é sempre o mesmo: a morte do Minotauro e a saída de Teseu do labirinto, com a ajuda do "fio de Ariadna", seguidas da fuga de Teseu de volta a Atenas, levando a jovem princesa consigo. Em algumas versões mais tardias do mito, o herói leva Ariadna e sua irmã, a princesa Fedra.

No caminho para casa, o barco aporta na ilha de Naxos (ou Dia, ou Coo, a depender da versão). Nesta ilha, Teseu abandona Ariadna, enquanto ela dormia, e segue sua viagem sozinho – ou com Fedra, a depender da versão do mito. Ariadna acorda a tempo de ver o barco sumir na curva do horizonte. Sozinha, longe de sua terra e de sua família, abandonada por seu amado, Ariadna se vê desamparada naquela ilha deserta, sem ter para onde ir ou o que fazer. Neste momento, chega na ilha Dioniso e seu séquito de mênades e sátiros. O deus, apaixonado pela mortal, a leva para o Olimpo e a faz imortal. Seu presente de casamento foi uma coroa de ouro forjada por Hefesto, colocada entre as estrelas como a constelação de Coroa Boreal.

E assim termina o ciclo cretense das aventuras de Teseu. Ele praticou muitas outras façanhas heroicas, como a descida ao Hades junto de seu amigo Piritoo e o rapto de Helena, antes desta se casar com Menelau, mas o seu feito mais famoso continua sendo a batalha contra o Minotauro no Labirinto de Creta.

Antes que se parta à leitura da peça que ora se apresenta, entretanto, é necessário fazer uma devida ressalva: o mito grego foi usado como mote para a glosa portuguesa. Desta história, nasceram inúmeras narrativas, peças, contos, poemas, pinturas, esculturas e outras formas artísticas, cada uma falando para o público do seu tempo. O mito sofreu muitas alterações no seu caminho entre a Grécia Antiga e o Portugal de Antônio José da Silva, portanto, vamos ser apresentados a uma variação do mito, em tudo o que isso tem de bom, prazeroso, surpreendente e frustrante, quando aquela parte que mais gostamos não aparece. Por este mesmo motivo, torna-se interessante conhecer o mito antes de ler a peça, pois isto era esperado de seu público.

Agora, o texto

Um texto dramático possui características diversas dos outros gêneros literários porque é escrito, *a priori*, para ser levado à cena. Este é um dado muitas vezes ignorado pelos leitores ou por críticos literários que desenvolvem análises de obras teatrais. Por outro lado, o leitor pode fruir um texto dramático como uma obra literária completa, que não precisa, necessariamente, da cena para ser compreendida – traço normalmente esquecido por artistas ou estudiosos do meio teatral.

Não se pode pensar em uma peça, especialmente até o século XVIII, sem se levar em consideração a sua "encenabilidade". Muito se discute em torno do fato de as tragédias de Sêneca terem sido ou não encenadas, mas do que isso adianta se os debates acerca de peças gregas, elizabetanas ou do Século de Ouro, que sabemos encenadas, não levam este fato em consideração? "O trabalho do crítico consiste em propor, por meio da análise de texto e do conhecimento tanto linguístico, como histórico, literário e teatral, um leque de possibilidades, potencialidades e perspectivas que o ator possa utilizar para construir a personagem" (HAZA, 2005, p. 115).

Até o início do século XVIII, ou seja, antes do Iluminismo europeu, a literatura era elaborada visando a modelos de estrutura e conteúdo. Assim, se um autor pretendia escrever uma epopeia, ele deveria se debruçar sobre Homero e Virgílio, a fim de, com base nos grandes, elaborar o seu próprio texto. Nesse período, a questão da originalidade não existe, ou melhor, existe, mas sob uma ótica muito diferente da atual. Fazer com que o leitor contemporâneo entenda e compartilhe das preceptivas do período estudado, quando muito afastado temporalmente, é fundamental para estabelecer o contato leitor/autor e perceber as nuances da obra lida. Por mais universal que sejam os conflitos humanos, sua forma de expressão sempre traz elementos próprios de sua época. Há que se entender que, ao utilizar filosofias, técnicas, teorias ou interpretações contemporâneas, coexiste a necessidade de relativizá-las e adequá-las ao que era vigente na época.

Entender as motivações, influências e modelos de escrita das obras ditas "antigas" é um grande passo para uma boa leitura ou uma boa representação contemporânea de uma dramaturgia escrita sob outros paradigmas de pensamento. Neste contexto, é importante perceber que "a fala é a ação, e a ação é a fala" (WILLIAMS, 2010, p. 146), ou seja, as falas que referenciam ações não operam num registro de rubrica cênica, mas estão plenamente incorporadas à ação, de acordo com aquele momento da História do Teatro.

Apresentação da "ópera joco-séria"

Antônio José da Silva (1705-1739), conhecido como "o Judeu", encaixa-se na "tradição" tragicômica pelos preceitos da poética vigente em seu tempo. Isso quer dizer que seu método de escrita, bem diferente dos dias atuais, baseia-se na *emulação* de poetas tido como clássicos, isto é, ele parte de uma ideia já existente, mas dá-lhe nova roupagem, com a intenção de seguir um modelo e, ao mesmo tempo, superá-lo (Cf. HANSEN, 2004 e CARVALHO, 2007).

A partir do Iluminismo, reforçado depois pelo Romantismo, surge o conceito da *originalidade*, que, de uma forma muito rasteira, pressupõe a expressão individual do artista. Antônio José, enquanto homem "barroco", participa de outro pensamento acerca da composição, em que se imitam ou se seguem modelos ou formulações canônicas. A originalidade existe, sem dúvida, mas em um registro diferente de pensamento: ele é original dentro de uma forma estabelecida – no caso, a tragicomédia.

Este pensamento "antigo", visto desde a Grécia Antiga, ainda no Barroco ecoa enquanto preceito retórico, desenvolvido pelos gregos e sistematizado pelos romanos. Na Arte, o grande exemplo emulatório dos tempos clássicos é a *Eneida*, de Virgílio, que tem como paradigma a *Odisseia*, de Homero.

A estrutura tragicômica

Podemos, sem muito medo de errar, afirmar que os principais modelos emulados por Antônio José da Silva são Lope de Vega (1562-1635), Calderón de La Barca (1600-1681) e demais autores do *Siglo de Oro* espanhol, assistidos pelo público lisboeta desde a era filipina. Estes autores escrevem tragicomédias – são textos que mesclam elementos da tragédia e da comédia clássicas –, originando um gênero teatral distinto e diverso.

A tragicomédia começa a tomar as proporções que teria no século XVII e parte do XVIII apenas com o *Arte Nuevo de Hacer Comedias en Este Tiempo* [Arte Nova de Fazer Comédias Neste Tempo], escrito em 1609 por Lope de Vega, dirigido à Academia de Letras de Madrid. Pedra-de-toque da nova arte descrita por Lope, o *gosto do público* é o principal norte da escrita dramática.

O *Arte Nuevo* também defende que a comédia não deveria ser menosprezada como gênero inferior à tragédia, mas apenas tida como gênero que fala de temas menos nobres. Esse pensamento já era difundido na Espanha quinhentista e pode ser visto em preceptistas como Lopéz Pinciano e outros (ESCRIBANO y MAIO, 1965). Lope de Vega, mais do que legitimar a comédia perante a tragédia, apresenta a possibilidade de ambas figurarem no mesmo texto, dando origem à tragicomédia: formulação antes impensável para a arte aristotélica. Em verdade, a tragicomédia já é descrita em textos latinos, como o *Anfitrião*, de Plauto, mas só no século XVII será reconhecida como gênero dramático, assistida, apreciada e escrita por poetas de talento e posição na corte.

De acordo com o *Dicionário de Teatro*, de Patrice Pavis (2008, p. 420), a tragicomédia é uma peça que é, ao mesmo tempo, comédia e tragédia, e pode ser identificada por esta mistura em três níveis: personagem, ação e estilo. Por personagens, podemos entender que são tipos pertencentes tanto à classe popular quanto à aristocracia e à nobreza. Neste sentido, a tragicomédia vai contra o que diz Aristóteles, para quem "divergem a tragédia e a comédia; esta os quer [personagens] imitar inferiores e àquela superiores aos da atualidade" (ARISTÓTELES, II, 3).

Quanto à ação tragicômica, pode ser "séria e até mesmo dramática, [mas] não desemboca numa catástrofe e o herói não perece" (PAVIS, 2008, p. 420). Assim, como podemos perceber nos textos de Calderón de La Barca e, especialmente, de Antônio José, a ação da peça conduz a um final terrível, mas dá uma guinada no último momento, conduzindo a uma reviravolta feliz, ou ao menos pretensamente feliz.

Ao estilo estão ligadas as noções de "alto" e "baixo", no que concerne à linguagem utilizada pelas personagens. Numa tragicomédia, deve-se apresentar tanto a linguagem elevada proferida pelas personagens nobres quanto o linguajar cotidiano e rasteiro das personagens cômicas e servis.

Por fim, Pavis (2008, p. 420) afirma que a tragicomédia "se preocupa com o espetacular, com o surpreendente, com o heroico, com o patético". Em se tratando das peças de Antônio José da Silva, podemos ver o *espetacular* na entrada da carruagem do Sol em *O Precipício de Faetonte* e *Os Encantos de Medeia*, assim como nas descrições de bosques, selvas, caçadas e outros cenários e cenas. David Ball chama de *teatralidade* ao efeito que prende a atenção do público. "Alguma coisa é *teatral* quando intensifica a atenção e o envolvimento dos espectadores" (BALL, 2008, p. 59).

Antônio José, além de trabalhar com todos os elementos que caracterizam uma tragicomédia ao longo de suas "óperas", resolve as intrigas de maneira adequada no tocante aos critérios tragicômicos, pois salva seus heróis da morte iminente ou, como em *O Precipício de Faetonte*, traz o protagonista da morte, para um final feliz.

Apesar de as características das preceptivas do século XVII espanhol serem marcantes na obra de Antônio José, o comediógrafo do Bairro Alto não copia simplesmente o modelo tragicômico espanhol, de muito sucesso na Península Ibérica, mas transforma e refina a dramaturgia do gênero.

Personagens

Os textos de Antônio José dispõem de temas já conhecidos da mitologia grega e, para sua compreensão, as personagens principais não poderiam ser descaracterizadas. Grande parte dos mitos gregos – e todos os utilizados por Antônio José – têm como personagem principal um herói, normalmente de ascendência divina.

No teatro tragicômico espanhol – e, por consequência, também no teatro português –, o herói é representado pela figura do *galán*. É inegável que os heróis representados nas peças do Século de Ouro sejam diferentes dos heróis gregos ou latinos, mas ambos derivam da mesma preceptiva de escrita dramática.

Como as personagens centrais dos mitos possuem uma caracterização muito presente no imaginário do espectador setecentista, cabe ao dramaturgo usar personagens externas ao mito para conferir maior dinamismo e vivacidade à cena, atraindo a atenção do público para o seu teatro. Neste sentido, os criados se mostraram uma opção certeira para a resolução deste problema.

O criado, como aparece nos textos de Antônio José, pode ser considerado herança direta do teatro espanhol. Chamado de *gracioso* e contando sempre com as boas graças do público, ele reúne características em comum com outras tradições cômicas, como os escravos das comédias gregas, passando pelos *zanni* da *Commedia dell'Arte* e pelos bobos da corte medievais. O *gracioso* de Antônio José da Silva opera como o eixo condutor do público, ajudando-o a compreender as ações e os discursos das personagens elevadas e a trama da peça. Sendo assim, a linguagem do *gracioso* apresenta-se como grande fonte de comicidade, mas também como uma das chaves para o entendimento do universo dramático do autor e da escrita do período estudado.

Uma personagem teatral só é conhecida pelo público quando levada à cena, normalmente vinculada à imagem do ator que a está representando. Assim, é através da *ação* que a personagem é revelada ao espectador. "O dramaturgo tem de deixar *em aberto* a maior parte da caracterização da personagem, a fim de que a ele se possa ajustar à natureza do ator" (BALL, 2008, p. 88, grifo no original). As ações e o estilo de atuação devem condizer, bem como o texto e a cena. E, para a preceptiva vigente nas obras de Antônio José, ambos devem coadunar com o gosto do público.

As cenas dos criados de Calderón e outros espanhóis são inseridas dentro do contexto da peça, mas, como já dito, dentro do contexto formal, no qual a estrutura espanhola pede o criado trocista como elemento demonstrativo. Por outro lado, a nosso ver, Antônio José da Silva utiliza a personagem do criado integralmente inserida na ação dramática principal.

Desta forma, o criado das peças do dramaturgo português contribui não somente nos aspectos formais, quando encarna e expressa as baixezas para se comunicar com o público, como também nas questões do conteúdo narrado. Como criado, intervém no enredo com trapalhadas típicas dessa estrutura de personagem. Portanto, a configuração do criado, bem como as desordens que pratica – características dos serviçais –, são de suma importância ao andamento tragicômico da ação teatral em Antônio José.

Esta influência no curso das ações da fábula principal não faz com que o criado ou o herói percam a sua identidade de personagem-tipo. Ao contrário, pode-se perceber uma perfeita separação entre os diferentes tipos representados pelo Judeu, graças à sua capacidade poética para a superação dos modelos emulados.

As partes cantadas

A estrutura musical das peças de Antônio José se assemelha à de outros gêneros que se desenvolviam por toda a Europa à época e atendia ao gosto do público por ser cantada em língua-pátria – diferentemente da ópera italiana, mas ainda subsidiária desta. Só algumas partes das peças são cantadas e, embora a música possa ser entoada "perfeitamente à vontade no estilo operístico italiano" (BRITO, 1989, p. 101), os trechos cantados podiam também ser executados como "modinhas e outras pequenas peças que toda a gente trazia no ouvido" (BRANCO, 1959, p. 112).

Nas peças do Judeu, tais trechos são mais do que simplesmente números de entretenimento porque fazem parte da ação dramática. As personagens agem enquanto cantam, mudando de um estado a outro durante a execução da música, ou fazendo uma exposição de seus sentimentos ou de seus planos. De uma forma ou de outra, as árias são importantes para o entendimento da ação dramática pelo público.

> Uma convenção, no sentido mais simples, é só um método, uma peça técnica da maquinaria, que facilita o espetáculo. Mas os métodos mudam e as técnicas mudam, e enquanto, digamos, um coro de dançarinos, ou o manto de invisibilidade, ou um solilóquio cantado são conhecidos métodos dramáticos, eles não poderão ser satisfatoriamente utilizados a não ser que, à época do espetáculo, sejam mais que métodos, a não ser que eles sejam convenções. Dramaturgos, atores e público devem ser capazes de concordar que o método particular a ser empregado é aceitável; e, dependendo do caso, uma parte importante desse acordo deve usualmente preceder o espetáculo, de modo que o que está por ser feito seja aceito sem fricções danosas. (WILLIAMS, 2010, p. 9).

Sabe-se a importância que as partes rimadas e cantadas adquirem na dramaturgia deste período, como pode ser visto não só em Antônio José, mas também em dramaturgos como William Shakespeare (1564-1616) e Calderón de La Barca, dentre outros, pois este recurso ajuda a fixar aquelas cenas na representação mental da peça para o espectador, conferindo relevância à parte cantada.

As metáforas dos títulos

Antônio José da Silva modifica os acontecimentos das narrações mitológicas, transformando a história de Medeia em comédia, a de Teseu numa história de amor ou a de Anfitrião em comédia de costumes. Assim como no acróstico que escondia bem à vista a autoria das óperas joco-sérias no *Theatro Comico Portuguez*, também nos próprios títulos das peças do Judeu estão escondidas metáforas do verdadeiro sentido da intriga a ser apresentada.

As tramas seiscentistas e setecentistas centram-se no conflito amoroso entre o jovem *galán* e a formosa *dama*, com o apoio dos seus criados e o antagonismo de outros *galanes* e *damas* e, geralmente, também dos representantes parentais que porventura figurem no enredo. Assim, dentro do espectro barroco de metáforas elevadas e cortesãs, tudo concorre em privilégio ou desfavorecimento do enlace final entre *galán* e *dama* protagonistas.

Em *O Labirinto de Creta* não poderia ser diferente. Como se verá repetido à exaustão no decorrer da intriga, aqui, o labirinto é do Amor e das finezas poéticas, ou seja, Teseu perde-se nos meandros do amor cortês entre Fedra e Ariadna. Este é o verdadeiro labirinto do qual Teseu precisa sair.

As notas e a conformação textual

Como forma teoricamente universalizante dos textos escritos e publicados em língua portuguesa, a conformação textual ora apresentada do texto de Antônio José da Silva segue a Nova Ortografia, numa vã tentativa de alcançar a generalidade dos falantes de língua portuguesa. Dizemos de uma vã tentativa, pois que já no nome sob o qual o Judeu foi batizado, encontramos um impasse: Antônio para os brasileiros e António para os portugueses. Optamos, sempre que postos diante deste impasse, pela grafia brasileira, não por demérito da pátria lusa, mas por um acesso mais direto ao leitor a que se destina este livro: ao leitor brasileiro, como difusão da cultura e arte portuguesas.

Já no que concerne às notas inseridas no texto, ademais do Glossário ao final deste volume, temos com elas a intenção primeira de situar o leitor contemporâneo frente a um pensamento teatral e literário muito distinto do seu coetâneo. Buscamos dialogar com leitor contemporâneo e texto antigo, na esperança de que aquele consiga elaborar, às custas de seu imaginário, o contexto e as lógicas vigentes quando da representação das peças judeínas no Teatro do Bairro Alto.

Evidentemente que alguma nota enciclopédica, daquelas que intentam a isenção da informação pura e simples, por vezes figura. Entretanto, sempre que possível, tentamos acrescentar outras chaves de leitura para apreensão da amplitude de espectros que uma obra barroca contempla.

O Prof. Pedro Meira Monteiro, quando da organização das correspondências entre Mário de Andrade e Sérgio Buarque de Holanda, muito acertadamente, reflete acerca da elaboração de notas neste século XXI: “é possível que, num diálogo mais próximo com o tempo da escrita, as notas permitam revalorizar a tessitura própria aos textos, que a anotação enciclopédica, com sua pretensão universalista, tende a deixar de lado" (2012, p. 12). Assim também nós, diligenciando para uma ampla possibilidade de leitura do texto de Antônio José, vamos dialogando com texto e leitor para a construção do imaginário judeíno.

Uma última e imprescindível informação se faz necessária. Para entender como funcionam as didascálias do texto de Antônio José, há que se ter em mente que estas foram escritas sob a perspectiva dos atores. Assim, o texto dará indicações de entradas e saídas tendo como referência o camarim ou, como se chamava na época, o bastidor. Portanto, quando se disser que uma personagem "sai", ela sai do camarim e entra em cena (nos textos dramáticos contemporâneos, estaria escrito "entra"). As marcações de saída de cena, por sua vez, estarão expressas pelas expressões "vai-se" ou "vão-se", ou algum derivado – isto porque as personagens vão-se da cena.

Carlos Gontijo Rosa é ator, bacharel em Artes Cênicas, e Mestre em Teoria e Crítica Literária pela UNICAMP. Atualmente, é doutorando em Literatura Portuguesa na Universidade de São Paulo (USP). Além disso, atuou como ator em diversos espetáculos teatrais. Desde o Mestrado, sua pesquisa busca a relação entre texto e cena na análise de textos dramáticos, especialmente nas peças mitológicas de Antônio José da Silva, sendo *O Labirinto de Creta* um dos principais objetos de estudo de sua tese de doutorado.

O LABIRINTO DE CRETA

Que se representou no Teatro do Bairro Alto de Lisboa, no mês de Novembro de 1736.

ARGUMENTO[1]

Sucedendo matarem os atenienses em um torneio a Androgeu[2], filho de Minos, rei de Creta, este, para vingar a morte do filho, depois de reduzir Atenas à sua obediência, como vencedor lhe impôs um rigoroso tributo, de que lhe pagaria todos os anos sete mancebos, que seriam sorteados por não haver exceção na qualidade das pessoas, de cujo feudo se alimentava o Minotauro que existia no labirinto fabricado por Dédalo. Caiu aquele ano a sorte sobre Teseu, príncipe de Atenas, que, sendo para esse efeito conduzido a Creta, o intentaram com indústrias libertar Fedra e Ariadna, filhas do mesmo Minos. Até a saída de Creta logrou Ariadna as primeiras estimações em Teseu, ainda que ao depois preferisse a Fedra, deixando a Ariadna em uma deserta ilha; porém, como só tratamos nesta obra dos sucessos de Teseu em Creta, por essa razão se manifesta a Teseu mais amante de Ariadna que de Fedra. O motivo que se toma para o entrecho da presente obra é o considerar-se a Teseu já devorado pelo Minotauro; e, sendo reputado por morto, manter-se este engano até o fim, triunfando do furo do Minotauro, do enleio do Labirinto e das iras de Minos.

---

1 Ao que se sabe, os "argumentos" das peças não faziam parte da representação em si e foram acrescentados ao texto *a posteriori*, provavelmente fruto da pena do editor Francisco Luís Ameno, na primeira impressão do *Theatro Comico Portuguez*, em 1753-1754. Em *As variedades de Proteu* (1737), outra ópera joco-séria de Antônio José, pode-se perceber como estes "argumentos", por vezes, interferem negativamente na apreciação da obra. Acontece aí que uma informação propositalmente escondida pelo dramaturgo para ajudar no interesse da peça é revelada.

2 A dupla grafia, Andrageu e Androgeu, encontra-se no original. Optamos por Androgeu, por maior proximidade da transliteração do nome grego.

INTERLOCUTORES[3]

- **Teseu**, príncipe de Atenas, amante[4] de Ariadna;
- **Minos**, rei de Creta;
- **Lidoro**, príncipe de Epiro, amante de Ariadna;
- **Tebandro**, príncipe de Chipre, amante de Fedra;
- **Dédalo**, barbas[5];
- **Licas**, embaixador de Atenas;
- **Ariadna**, **Fedra**, filhas de El-Rei Minos;
- **Taramela**, criada de Ariadna;
- **Sanguixuga**, velha, criada de Fedra;
- **Esfuziote**, gracioso, criado de Teseu;
- **Soldados**.

A cena se figura em Creta

[3] Explicitados na ordem estabelecida na edição do volume 2 do *Theatro Comico Portuguez* de 1754.

[4] Amante aqui no sentido de "aquele que ama", e não na acepção moderna.

[5] "Barbas" é uma personagem-tipo do teatro ibérico de que tem mais idade, com alguma gravidade. Por alguns críticos, por exemplo, Prades (1963, p. 251), é-lhes atribuída a função de *padres* [pais] no teatro do Século de Ouro.

CENAS DA I PARTE

CENAS DA II PARTE

PARTE I

CENA I

Bosque e marinha, e haverá no lado do teatro uma gruta e depois de se ver no mar uma armada flutuando com tempestade, sairão por junto da marinha Teseu e Esfuziote, tropeçando e caindo em terra sem ver um ao outro.

TESEU – Valha-me o Céu! *(Cai).*

ESFUZIOTE – Valha-me a terra! *(Cai).*

TESEU – Haverá, como eu, homem mais infeliz?

ESFUZIOTE – Haverá infeliz mais homem do que eu?

TESEU – Pois parece que, conjurados os deuses, os fados e os elementos contra mim, nem nos deuses acho piedade, nem nos fados fortuna, nem nos elementos abrigo.

ESFUZIOTE – Pois, apesar dos ventos, das ondas e tubarões, me vejo são e salvo nesta praia.

TESEU – Mas ai, infelices[6] companheiros meus, se naufragantes nesse golfo tivestes urna cristalina, mais líquido monumento nas minhas lágrimas erijo a vossas memórias, para que leia a posteridade nos cenotáfios[7] de meus suspiros a vossa lembrança e o meu agradecimento.

[6] Variação poética de "infeliz".

[7] Monumento mortuário construído em memória de alguém, quando o morto está sepultado em outro lugar. Em Ouro Preto – MG, há um cenotáfio dedicado aos Inconfidentes.

ESFUZIOTE – Ora bom é contar da tormenta, que melhor é estar pingando nesta ribeira feito chafariz da praia, do que ser fonte da pipa em vaza-barris[8].

TESEU – A esta deserta praia me conduziram as minhas infelicidades, adonde até para o alívio me falta a comunicação dos viventes. Mas que vejo! Tu não és Esfuziote?

ESFUZIOTE – E vós, Senhor, não sois Teseu?

TESEU – Tal estou, que não sei quem sou; mas dize-me como, indo a pique o nosso navio, te pudeste salvar!

ESFUZIOTE – Porque sempre fiz boas obras.

TESEU – Já te julgava morto entre as ondas.

ESFUZIOTE – Senhor, a minha fortuna esteve em achar uma âncora a que me agarrei e sobre ela vim boiando, até dar comigo nesta praia, onde tenho a fortuna de te ver, pois também entendi estarias a estas horas coberto de limos e caramujos.

TESEU – Para quê, soberanas deidades, defendestes a vida de um infeliz? Para quê, propícias, me livrastes desse salobre marinho monstro das águas, se quando me redimis da morte, é só para perder a vida?

ESFUZIOTE – Eis aqui o que eu não aturo! De sorte, Senhor, que, quando te vias na tempestade, tudo eram votos, lágrimas e promessas; e agora, ingrato contra o Céu, depois que te vês em terra firme, acusas a piedade dos deuses que te livraram? Ora, Senhor Teseu, ponhamo-nos de joelhos, e com a

---

[8] Costa com recifes de corais, muito propensa a naufrágios. Por associação, também pode ser um lugar onde há riquezas escondidas.

boca na areia escrevamos com a língua louvores a Baco, que nos livrou de bebermos água salgada[9].

TESEU – Deixa-me, Esfuziote, precipitar-me outra vez nessas ondas, para que com este arrojo emende o erro dos fados.

ESFUZIOTE – Isso é falar!

TESEU – Pois tu ignoras o meu valor? Não sabes que sou Teseu?

ESFUZIOTE – Eu bem sei que é o valoroso Teseu, príncipe de Atenas, cujas façanhudas obras fizeram com que a fama deixasse o clarim, para ficar com a boca aberta; item, sei que é aquele Teseu, companheiro de Hércules, que tem morto mais gente do que eu piolhos; porém, *salva pace*[10], ainda me não consta que algum dia fizesses a heroica ação de te lançares ao mar e morrer afogado.

TESEU – Pois, para que o vejas e contes ao Mundo que Teseu, como valente e estoico, antes que ignominiosamente perca a vida, procura sepultar-se nesse monumento de cristal... *(Faz que se lança ao mar).*

ESFUZIOTE – Tenha mão, Senhor; veja que aquilo não é cristal; são águas vivas, que matam a gente! Ora persuado-me que na tormenta fizeste algum voto de morrer afogado.

TESEU – Deixa-me, Esfuziote, ser piedoso esta vez comigo.

---

[9] Ao longo de toda a peça, ver-se-á o contraste entre as metáforas elevadas de Teseu e a objetividade pragmática das falas do *gracioso*.

[10] Expressão em latim que, em português coloquial, quer dizer "não me leve a mal".

ESFUZIOTE – É boa obra pia querer matar-se a si mesmo[11]!

TESEU – Para que quero eu viver?

ESFUZIOTE – Para viver; e é tão pouco? Pois enquanto o pau vai e vem, folgam as costas[12].

TESEU – Ai, mísero de mim!

DÉDALO – *(Dentro)* Ai, infeliz!

TESEU – Não ouviste, Esfuziote, uma funesta voz?

ESFUZIOTE – Eu bem a não quisera ter ouvido, nem ouvidos nesta hora! Ai, Senhor, que será isto?

VOZES – *(Dentro)* Ao bosque, à selva!

ARIADNA – *(Dentro)* Onde te esconderás, cerdoso bruto[13], do acelerado furor das minhas setas?

TESEU – Venatórias vozes[14] são as que agora ouvi!

ESFUZIOTE – Aqui valerá mais a caça grossa do que a fina.

TESEU – Em que país estaremos?

ESFUZIOTE – Pois sempre cuidei que estávamos em alguma deserta praia, em que somente reina o berbigão com a ajuda das ameijoadas[15].

---

[11] Jogo de palavras que destaca os valores cristãos propagados à época de Antônio José, uma vez que o suicídio é visto, pela Igreja Católica, como pecado mortal grave, digno de danação eterna. Por mais que o tempo da representação seja a Grécia Antiga, ainda o vocabulário e os valores cristãos da audiência são utilizados, para maior identificação do público.

[12] Referência às chibatadas recebidas pelos escravos e servos em geral.

[13] "Bruto cerdoso" designa um "uma fera peluda", possivelmente um javali.

[14] Vozes de caçadores.

[15] Grande quantidade de amêijoas. Amêijoas e berbigões são moluscos comestíveis e ambos também fazem menção obscena ao órgãos sexuais femininos, vulva e clitóris, respectivamente.

Canta-se dentro o seguinte coro:

Chegai, moradores de Creta, chegai;
oferecei, dedicai
a vítima pura de uma alma rendida
ao templo divino de Vênus e Amor.

TESEU – Espera! Não ouves ao longe sonoras vozes de festivos hinos?

ESFUZIOTE – Já que supões que eu sou surdo, quero também imaginar que és cego. Não vês descer por aquele monte uma formosa tropa de balhadeiras[16]?

TESEU – Que variedade de afetos ao mesmo tempo admiro nesta que julguei bárbara e tosca montanha! Que te parece isto?

ESFUZIOTE – Se o nosso navio aportasse em Creta, para onde levava direito o rumo, dissera, Senhor, que estávamos no labirinto de Creta.

TESEU – Oh! Não me fales em Creta, que não foi pequena fortuna o não estarmos nela; mas afirmo-te que não posso penetrar o motivo de tão diferentes e discordes vozes; pois, quando da cavernosa boca daquele rochedo ouvi o funesto eco, que dizia...

DÉDALO – *(Dentro)* Ai, mísero de mim! Ai, infeliz!

TESEU – E ao mesmo tempo escutar o vago estrépito de venatórias vozes, proferindo confusas...

VOZES – *(Dentro)* Ao monte, à selva, tó, tó[17]!

---

[16] Bailarinas.

[17] Interjeição que exprime velocidade.

TESEU – E isto acompanhado de sonora melodia de acordes acentos articulando alegres...

Canta o coro:

Chegai, moradores de Creta, chegai
ao templo divino de Vênus e Amor.

ESFUZIOTE – Senhor, façamos aqui ponto de admiração, que as ninfas já se vem apropinquando[18].

TESEU – Pois ocultemo-nos nesta gruta, só por ver isto no que para.

ESFUZIOTE – Vá feito; mas, a meu ver, isto não para aqui.

Escondem-se na boca da gruta e sairão umas ninfas dançando ao som do coro, e saem Sanguixuga, Taramela e Fedra, e canta o coro:

Chegai, moradores de Creta, chegai
ao templo divino de Vênus e Amor.

SANGUIXUGA – Anda, rapariga; não te tresmalhes[19] e te percas por esses montes.

TARAMELA – Ai, tia, que já vou mui cansada!

ESFUZIOTE – Se quiser descansar e fazer penitência comigo nesta cova, não faça cerimônia; entre cá para dentro.

---

[18] Aproximando.

[19] Tresmalhar tem sentido de escapar ou perder de forma desordenada, atabalhoadamente.

TARAMELA – Ai, minha tia, que me falaram daquela cova! *(Vai-se).*

SANGUIXUGA – Foge, Taramela, que será algum sátiro salvage[20]! *(Vai-se).*

ESFUZIOTE – Senhor, não sabe que travessos olhos são os daquela bugínica[21]!

TESEU – Atende e não fales.

Sai Fedra.

FEDRA – Não cessem, ninfas, os reverentes cultos que em harmoniosos hinos dedica o nosso afeto às deidades de Vênus e Cupido, por ver se com a nossa melodia se aplaca o seu furor.

TESEU – Viste mais peregrina formosura?

ESFUZIOTE – Atenda e não fale.

FEDRA – Prossegui o acorde sacrifício de nossas vozes, dizendo...

Sai Tebandro.

TEBANDRO – Galharda[22] Fedra, para que te fatigas em subir a esse elevado templo de Vênus e Amor, se aqui neste lugar acharás as deidades que procuras?

---

[20] Forma popular de "selvagem" no período.

[21] Moça travessa, de acordo com José Roberto Tavares, da edição dos Clássicos Sá da Costa (1954).

[22] Adjetivo de atribuições positivas, como elegante, generosa ou airosa.

FEDRA – Príncipe, não vos entendo.

TEBANDRO – Não buscas a Vênus e Amor?

FEDRA – Esse é o meu reverente intento.

TEBANDRO – Pois, se buscas a Vênus, outra mais bela se admira em tua formosura; e, se queres amor, procura-o em meu peito, que nele o acharás.

FEDRA – Não é esse o amor a quem eu sacrifico.

TEBANDRO – Talvez que fosse bem empregada a vítima desse afeto nas aras deste amor, que, sem a impropriedade de cego, tem mais olhos do que Argos para admirar-te, e mais chamas que o Vesúvio para abrasar-me; admite, pois...

FEDRA – Basta, Tebandro; basta, príncipe de Chipre! Se me julgais deidade, não queirais sacrílego ultrajar o meu decoro com tão impróprios sacrifícios, que mais ofendem do que aplacam.

TESEU – Irei impedir-lhe não passe a mais o seu atrevimento; pois, antes de ter amor, já sinto zelos.

ESFUZIOTE – Ui, Senhor! Vossa mercê é o guarda-damas? Deixe à gente fazer o seu amor! *Quod tibi non vis, alteri non facias*[23].

TEBANDRO – Senhora, se atrevido o meu rendimento chegou...

FEDRA – Não mais, príncipe; não mais! Mas, ai de mim, que já as ninfas do coro vão mui distantes! Vou-me em seu seguimento. *(Vai-se)*.

---

[23] "Não faças a outrem o que não queres para ti". Frase célebre de Hugo Grotius, no tratado jurídico *De jure praedae*, cap. XII, de 1604.

TEBANDRO – Ai de mim, que Fedra cruel contra o meu amor acelerada se ausentou! Porém, se te apartas, tirana, por não ouvir as minhas vozes, o mesmo vento que te deu asas para a fuga te levará os ecos dos meus suspiros.

Canta Tebandro a seguinte
ÁRIA

Se foges, tirana,
de ouvir meus suspiros,
suspende os retiros;
porque de meus ecos
não podes fugir.

Oh, quanto te enganas,
no mal com que abrasas,
se Amor, que tem asas,
te sabe seguir! *(Vai-se)*

Saem Teseu e Esfuziote da gruta.

TESEU – Oh, quanto me arrependo, Esfuziote, de não haver saído da gruta, para admirar de mais perto aquela soberana beleza e castigar a temeridade daquele atrevido Faetonte[24], que intentou dominar as luzes de tanto Sol!

---

[24] Faetonte será o protagonista da última peça escrita por Antônio José da Silva, *O precipício de Faetonte* (1738), cujo entrecho narra o enamoramento do semideus por uma ninfa, Egéria, e por uma princesa mortal, Ismene. Pouco detalhado na tradição clássica e pouco glosado até o século XVIII, este mito permitirá maior liberdade imaginativa para o entrecho da peça.

ESFUZIOTE – Tudo quanto os deuses fazem é por melhor.

VOZES – *(Dentro)* À selva, ao bosque!

ARIADNA – *(Dentro)* Deuses, valei-me; quem me socorre?

TESEU – Daquele vizinho bosque não ouviste sentidas e aflitas vozes de uma mulher?

ESFUZIOTE – Senhor, eu não sei que nas vozes haja macho e fêmea.

ARIADNA – *(Dentro)* Deuses, valei-me!

TESEU – De mulher é a voz, não há dúvida; em que me detenho, que não vou a socorrê-la? *(Quer ir-se)*.

DÉDALO – *(Dentro)* Ai, mísero de mim!

DÉDALO e ARIADNA – *(Dentro)* Ai, infeliz!

TESEU – De uma mesma causa, parece, nascem tão diferentes vozes. A qual das duas acudirei primeiro?

ESFUZIOTE – Eu, Senhor, aqui não tenho voz ativa nem passiva[25].

ARIADNA – *(Dentro)* Não há quem me socorra?

TESEU – Sim, há. *(Vai-se)*.

ESFUZIOTE – Ah, Senhor, espere; não me deixe aqui só em poder destoutra[26] voz, que sou capaz de ficar sem fala.

---

[25] Os jogos linguísticos também são uma constante das fórmulas cômicas dos *graciosos*, sejam referentes à língua vernácula, ao italiano ou mesmo ao latim.

[26] Desta outra.

Sai Teseu com Ariadna desmaiada.

TESEU – Que estranho sucesso! Que venturoso acaso! Pois, a não ser eu, seria esta infeliz beleza despojo da ferocidade de uma fera!

ESFUZIOTE – É fera desgraça! É fera beleza! É fero desmaio[27]!

TESEU – Belíssima deidade, cesse o violento eclipse de teus raios, que os astros dependentes das tuas luzes não podem brilhar, quando desfaleceis.

ARIADNA – Monstro feroz e indômito! Mas, ai de mim, que vejo?

TESEU – Sossegai, Senhora, que eu não sou a fera que vos quis ofender.

ESFUZIOTE – Nem eu tampouco.

TESEU – Que êxtase vos suspende os alentos? Ainda não credes que sou quem vos defende e não quem vos ofende?

ARIADNA – Como ignoro o modo de agradecer tão generosa ação, que muito me faltem as vozes e me sobrem as admirações?

TESEU – Uma casualidade não é digna de agradecimento; mas, já que o destino me conciliou a fortuna de ser eu o ditoso instrumento da vossa vida, quisera vos compadeceis da minha, que em paroxismos já quase falece às mãos de uma doce violência.

---

[27] "Fero" e seu feminino, "fera", podem ter a acepção de "bravio", "indômito", tanto quanto se referirem a "bravatas", "fanfarronadas", "bazófias", chiste jocoso.

ARIADNA – Eu vos prometo defender a vossa vida, já que tanto me encareceis o seu perigo; e assim dizei-me: qual é o delito que vos obriga a viver foragido entre essas brenhas[28]? *(À parte)* Que gentil presença!

TESEU – Senhora, sendo vós a culpada, eu é que sou o delinquente.

ARIADNA – Não entendo esse novo modo de criminar.

TESEU – Dai-me licença que me explique.

ARIADNA – Dizei.

ESFUZIOTE[29] – *(À parte)* Ei-lo aí meu amo namorado! Estamos bem aviados!

TESEU – Essa animada esfera de beleza, que em atrativos incêndios, sendo luminoso ímã de meu peito, foi luzida rêmora de meu alvedrio[30], que, perdendo este a natureza de livre, se considera preso, para aumentar os despojos no carro do amor.

ARIADNA – Que é amor? Estais louco? Adverti que o ignorares quem eu sou e o achar-se obrigada a minha vida ao vosso braço faz com que reprima o castigo dessa temeridade. *(À parte)* Oh, dura lei do decoro, pois me hei de ofender do mesmo que me agrada!

ESFUZIOTE – *(À parte)* Toma lá esse pião na unha! Ainda bem! Quanto folgo!

---

[28] Mata virgem.

[29] Em diversos momentos, o *gracioso* exerce a função de observador e comentador externo da ação, ampliando a sua identificação com o público, o qual conduz pela narrativa mitológica emulada por Antônio José da Silva.

[30] "Arbítrio". Determinação da vontade.

TESEU – Notável é o vosso rigor!

ARIADNA – Maior é o vosso atrevimento. *(À parte)* Oh, que espírito digno de animar o peito de um príncipe!

TESEU – Já que a vossa tirania é igual à vossa beleza, permiti ao menos que vos ame cá dentro em meu peito, para que os fumos da vítima não escureçam as luzes da vossa divindade[31].

ARIADNA – Para isso não é necessário licença minha, que não posso impedir os efeitos do alvedrio.

TESEU – Visto isso, poderei, amando comigo, esperar ser ditoso algum dia?

ARIADNA – Bem podeis esperar; porém sem esperança. *(À parte)* Valha-me amor, ou não me valha, pois me quer precipitar[32]!

TESEU – Desenganai-me, Senhora, para que ou com a esperança se alente o meu amor, ou acabe a minha vida na desesperação.

ARIADNA – Não sei o que vos diga. *(À parte)* Vou-me, antes que a língua obedeça aos impulsos do coração. *(Quer ir-se).*

TESEU – Sem dar-me reposta, não é razão que vos vades; já que abatestes os voos ao meu amor, deixai ao menos voar a minha esperança.

---

[31] A partir daqui, no diálogo que se segue, Teseu usa de recursos retórico-linguísticos para declarar seu amor e despertar o interesse de Ariadna, sem faltar ao decoro próprio das personagens elevadas.

[32] O dramaturgo alterna as metáforas que utiliza com aquelas que lhe servirão de mote para outras óperas joco-sérias. Aqui, há uma referência ao "precipício" em que Faetonte se precipita, ou seja, o precipício do Amor comentado no Prefácio.

ESFUZIOTE – Senhor, olha que te deitas a perder no que pedes; pois, se queres que voe a tua esperança, ficarás sem ela.

TESEU – Deixa-me, louco. Dizei-me, Senhora: serei feliz?

ARIADNA – Eu vo-lo digo.

Canta Ariadna a seguinte
ÁRIA

Dois finos afetos
nesta alma conservo:
um deles reservo.
Se é amor ou piedade,
dizê-lo não sei.

Porém, se no extremo
porfias constante,
afeto de amante
que seja, farei. *(Vai-se).*

TESEU – Espera, esquiva deidade; se queres correr mais ligeira, deixa o alvedrio que me levas e leva as penas que me deixaste.

ESFUZIOTE – Entendo que, se agora viera outra ninfa, terceira vez te namoravas!

TESEU – Ai, Esfuziote, que me sinto abrasar em vivo fogo!

ESFUZIOTE – Pois lança-te agora ao mar, que é boa ocasião. Mas dize-me, Senhor: quando viste a Fedra, não querias matar ao príncipe de Chipre com zelos dela? Pois como tão depressa te queres matar a ti pelo amor desta senhora caçadora?

TESEU – Não injuria ao Sol quem antes de o ver adorou uma estrela; porém, depois de visto o seu resplendor, seria agravo de suas luzes não preferi-las a todos os astros.

ESFUZIOTE – Vês, Senhor? Se eu te deixara lançar ao mar, como querias, não tiveras visto agora tanta formosura; não te arrebataras; não te namoraras; não te abrasaras, e...

TESEU – E não te matara também; pois, se me não impediras lançar-me a estas águas, não sentira agora esta violenta chama de amor; e, pois tu és a causa desta violência, sentirás parte do estrago que me arruína. *(Dá-lhe)*[33].

ESFUZIOTE – Ai, Senhor! Para que me dá agora esse esfuziote[34]? Deixe por ora esses namoricamentos[35]: lembre-se que o espera a devorante goela de um Minotauro.

TESEU – Ainda por isso duplicas mais a tua culpa, pois com o precipício do mar escusara sentir as fúrias destes monstros de amor e Minotauro. Ai, tirano Esfuziote, que me privaste do maior bem, que era o morrer!

---

[33] Lugar comum dos teatros cômicos da época, as pancadas dadas aos criados agradavam ao público. Recurso próprio do teatro de bonecos, também confere uma dinâmica mais movimentada à cena que está se desenvolvendo no palco, mesmo quando da representação por atores.

[34] Uma das acepções do substantivo "esfuziote", utilizada no trecho, é "repreensão" ou "repelão". Mas o nome do criado também pode se referir, quando "de esfuziote", a algo feito apressadamente, "de corrida".

[35] Neologismo cômico, muito frequente nos textos de Antônio José da Silva, bem como as diversas outras formas cômicas de trato linguístico.

ESFUZIOTE – Ui, Senhor! Não seja essa a dúvida! Se só por uma causa te querias matar, agora, que tens duas, toma duas mortes.

DÉDALO – *(Dentro)* Acabem-se já por uma vez tantos pesares; rebente a mina, única ideia do meu desafogo.

ESFUZIOTE – Ai, Senhor, que ali há mina! Vamo-nos a ela! Ai! Mina temos? Grande fortuna me espera[36]!

Ao ir-se chegando Esfuziote para dentro da gruta, rebenta esta com estrondo e labareda e ficará Esfuziote submergido debaixo das ruínas, das quais sairá Dédalo.

ESFUZIOTE – Ai! Quem me acode, que dei à costa na mina?

TESEU – Que horrendo estampido! Parece que a terra, pressaga[37] da minha ruína, em estragos publica a minha desgraça.

Sai Dédalo.

DÉDALO – Valha-me o Céu!

---

[36] A ganância está entre os vícios prevalecentes na caracterização do *gracioso*, que apresenta todos os vícios das personagens baixas, identificáveis nos *criados* em geral. Sendo assim, ele tem nos prazeres terrenos seu grande desvio de conduta: eles são covardes, glutões, dorminhocos, gananciosos, super sexualizados, desconfiados e estúpidos, quando lhes convém.

[37] Pressentindo.

TESEU – Que foi isto, Esfuziote? Levanta-te. Mas que novo espetáculo se oferece à minha admiração! Quem és, espantoso aborto desta penha[38]?

DÉDALO – Sou um mísero infeliz e tão desgraçado, que a Terra, sendo mãe comua[39] para todos, a mim de si me arroja, como madrasta.

ESFUZIOTE – Senhor Teseu, ressuscite-me desta espelunca, onde estou enterrado.

TESEU – Esperai; não vos vades, enquanto vou acudir a este pobre criado que jaz oprimido debaixo da ruína daquela gruta.

ESFUZIOTE – Ande depressa, Senhor, que estas pedras me não edificam muito.

TESEU – Ergue-te, anda; é bem feito, para castigo da tua ambição! Quem te mandou ir ver a mina?

ESFUZIOTE – Por quê? Tão fraca é a minha ambição, que tiveste pavor de chegar a essa mina? Mas, ai de mim, que estou minado de dores e tomara alguma contramina que me sarasse os ossos!

TESEU – Homem, quem quer que és, comunica-me a causa das tuas penas, pois, segundo o arrojo que intentaste, parece nascida de algum extraordinário motivo.

DÉDALO – Se supões extraordinária a causa deste excesso, como posso fiar de ti a narração de meus sucessos, sem saber com quem falo, pois no silêncio conservo a minha vida? E assim, sabendo primeiro quem tu és, então saberás quem eu sou.

---

38 Rocha.

39 Comum.

ESFUZIOTE – Este sem dúvida é aquele Senhor da voz grossa, que nos metia medo!

TESEU – Para que vejas que a minha curiosidade é sincera, quero dizer-te quem sou, para que da minha pessoa possas inferir que sou capaz de ser instrumento da tua felicidade. Depois que os atenienses bárbara e aleivosamente em um torneio mataram ao príncipe Androgeu, filho de Minos, Rei de Creta, este, justamente indignado contra os atenienses, fazendo uma liga ofensiva com os príncipes do Arquipélago[40], se lançaram sobre Atenas, para ressuscitar com o estrépito das armas o marcial espírito de Androgeu. Três anos esteve Atenas cercada e reduzida à última miséria; até que, para salvar os prostrados fragmentos de tantas vidas, que inermes pereciam à violência da fome e da corrupção, levantando-se o povo tumultuariamente, capitularam com El-Rei[41] Minos, oferecendo-se à sua discrição.

ESFUZIOTE – Tudo aquilo me contava minha avó.

TESEU – O bárbaro Rei, vendo que de uma vez não podia beber o sangue dos atenienses, impôs o rigoroso tributo de que todos os anos pagasse Atenas sete mancebos para alimento de um monstro que chamam Minotauro, que dizem habita dentro em um labirinto.

DÉDALO – Ai de mim!

---

[40] O Arquipélago corresponde às ilhas do Mar Egeu, entre a Grécia continental e a atual Turquia.

[41] O tratamento "El-Rei" é corrente na Península Ibérica, na época, para se referir ao monarca.

TESEU – Quê? Suspiras?!

DÉDALO – Prossegui, que os meus suspiros não são sem fundamento.

TESEU – Era, pois, a forma deste tributo, sem exceção de pessoa alguma, por mais soberana que fosse; para o que todos em uma urna lançavam os seus nomes e por sorte se tiravam sete mancebos que se enviavam para Creta a serem combustivo feudo do Minotauro.

ESFUZIOTE – Se isto não estivera em letra redonda, haviam de dizer que era mentira.

TESEU – Este ano (ai, infeliz!), entre os sete do tributo fui eu um deles, que nem o nascer filho de El-Rei de Atenas e ser o valoroso Teseu, bem conhecido no Mundo pelo meu valor, foi bastante para isentar-me deste tributo[42]; para o que, preparada uma armada, vínhamos para Creta, em cuja viagem os ventos, não sei se propícios ou indignados, depois de ser ludíbrio das ondas, despedaçando o nosso baixel[43], sem dúvida perecera, se uma tábua dele não fora o delfim[44] de minha vida, que piedoso me conduziu a estas praias, sem saber aonde estou. E, pois já te tenho satisfeito, fia agora de mim os teus sucessos, para que aches em minha generosidade o favor que as tuas misérias estão conciliando.

---

[42] Até aqui, a história contada por Teseu segue quase em paralelo à narrativa mitológica original. Só a partir do naufrágio, ou seja, a partir do início da representação, Antônio José altera o mito.

[43] Pequeno navio.

[44] Golfinho. Dizia-se que os delfins, na era mitológica, protegiam e salvavam os marinheiros dos perigos do mar.

ESFUZIOTE – Vejamos agora o com que se descarta este barbado.

DÉDALO – Quando eu me considerava o mais desgraçado de todos os homens, acho que há outros que nasceram com mais infeliz estrela.

TESEU – Explica-te; não me tenhas suspenso.

ESFUZIOTE – Vamos, Senhor; diga alguma coisa, ainda que seja uma fábula.

DÉDALO – Eu sou, generoso príncipe, o infeliz Dédalo, aquele que por suas extraordinárias máquinas e sublimes invenções se tem feito conhecido por todo o Mundo.

TESEU – Basta que sois aquele célebre Dédalo, cujas artificiosas ideias têm merecido os elogios do Orbe! Não sabeis quanto me alegro ver um homem tão grande.

ESFUZIOTE – Basta que vossa mercê é o Senhor Dédalo, padre-mestre das minas, apesar do meu corpo? Ai, espere; vossa mercê não é o pai do Senhor Ícaro?

DÉDALO – Tu conheceste a Ícaro, meu filho?

ESFUZIOTE – Eu não, Senhor; mas lembra-me de o ver pintado com umas asas, que, caindo em um rio, se foi como um passarinho[45].

TESEU – Cala-te, néscio[46]; prossegui, Dédalo.

---

[45] Aqui, o dramaturgo busca uma forma menos narrativa de localizar o público acerca de qual mito pertence a personagem que está sendo apresentada. Sendo que, no mito original, Ícaro cai no Mar Egeu por voar muito perto do Sol quando ele e seu pai fugiam do Labirinto de Creta, esta também é uma forma de justificar a ausência da personagem.

[46] Indivíduo ignorante, estúpido.

DÉDALO – Prossigo. Vivendo eu na corte de El-Rei Minos de Creta, com a estimação que mereciam as minhas raras ideias, sucedeu que Vênus, indignada contra o Sol, que em certa ocasião patenteou as suas torpezas, não podendo vingar-se em suas luzes, pediu a seu filho Cupido que contra a rainha Pasife fulminasse o seu rigor[47], fazendo Cupido, a instâncias de Vênus, que Pasife se namorasse de um touro.

ESFUZIOTE – De um touro?! Teve muito bom gosto a Senhora Patife[48].

DÉDALO – Pasife, combatida de tão torpe e nefando[49] amor, pediu-me que lhe desse remédio a tão louco incêndio em que se abrasava, fazendo com alguma máquina minha, com que ela pudesse lograr o seu intento, antes que a sua cegueira produzisse olhos que vissem publicamente esta nunca vista temeridade de Cupido. Eu, enfim, por escusar maior escândalo, me resolvi a fabricar uma vaca, com tanto artifício, que apenas se distinguia das outras viventes; pois no movimento e aspecto, parece quis esta vez competir a arte com a natureza.

ESFUZIOTE – E essa vaca havia de ser deleite para Pasife.

---

[47] No vocabulário amoroso, o rigor é a qualidade de quem se mantém fiel e constante nos seus sentimentos. Ao ter seu rigor fulminado por Cupido, a partir de então Pasife não tem mais controle sobre seus atos, não deixando, portanto, de se caracterizar a personagem enquanto *dama*.

[48] Adulteração cômica de Pasife.

[49] Torpe. Contrário à natureza.

DÉDALO – Fabricada assim a vaca, por uma escotilha que nela fiz se introduziu Pasife, em cuja figura artificiosamente transformada foi fácil enganar ao touro a quem amava. O demais cala-o o silêncio, por que se não ofenda a modéstia.

ESFUZIOTE – Sim, bem entendo; sim, Senhor; o touro e a vaca[50], etc.

DÉDALO – Deste nefando amor nasceu um monstro de duas espécies, pois era meio homem e meio touro, por cuja causa o chamaram Minotauro.

ESFUZIOTE – Desses monstros há muitos no Mundo.

TESEU – Ai, Dédalo, que tu foste a ocasião da minha desgraça!

DÉDALO – E também da minha! Ora atende. Vendo Minos naquele monstro a sua perpétua infâmia, me ordenou que para morada dele fabricasse um estupendo e grande palácio, com tão equívocas entradas e saídas, que quem nele se introduzisse não pudesse atinar com a porta para sair, ficando preso na sua mesma liberdade; que por este enredado artifício se chamou o Labirinto de Creta.

TESEU – Segunda vez te considero artífice de minhas infelicidades.

ESFUZIOTE – Que direi eu, que tenho o corpo esparramado?

---

[50] Esfuziote, como gracioso de linguagem mais chula, insinua, provavelmente com algum gesto obsceno, uma relação sexual entre a vaca-Pasife e o touro.

DÉDALO – Enfim, como não há coisa que se não saiba, quis a minha desventura que chegasse à notícia de El-Rei Minos que eu tinha cooperado para o nascimento de Minotauro, por cuja causa me mandou encerrar no mesmo labirinto que eu fabriquei, na parte mais inferior dele, onde a minha indústria[51] e desesperação fez com que, minando com ardentes materiais as entranhas da terra, saísse desta gruta, como viste[52].

TESEU – Visto isso, estamos em Creta, e às portas do labirinto!

ESFUZIOTE – E às portas da morte! Ora o certo é, Senhor, que donde hás de ir não hás de mentir; por isso, tanto que eu pus os narizes em terra, logo me cheirou a labirinto.

TESEU – Ninguém pode isentar-se da violência dos fados.

DÉDALO – Príncipe, já que neste bosque de ninguém fostes visto, escondei-vos nesta mesma mina, até que tenhais ocasião de fugir da morte que vos espera.

TESEU – Que quer dizer fugir? É ação que nunca exercitei. Que dirá o Mundo, se se disser que Teseu fugiu da morte e que o acovardou um monstro, quando tantos tenho vencido?

ESFUZIOTE – Não tem que se cansar, que este Senhor anda morto por se matar.

---

[51] Argúcia, perícia.

[52] Ademais a ausência de Ícaro, toda a história contada por Dédalo corresponde à versão greco-latina do mito deste herói. Interessante inversão, entretanto, é apresentada por Antônio José da Silva: se o Dédalo mitológico foge do Labirinto voando, o Dédalo português vem por baixo da terra.

DÉDALO – Como vos não quereis esconder e certamente haveis de ir parar ao labirinto, eu, por acompanhar-vos nele, me resolvo a ser outra vez habitador da sua confusão, para que ao menos com a indústria possais vencer esse monstro, e vingarmo-nos desse tirano Rei que à vossa Pátria e a mim tanto ofende.

TESEU – Ó Dédalo, eu te prometo que, se entro em Atenas triunfante, serás em minha corte premiado, como merece tão generosa ação.

DÉDALO – Pois adeus, príncipe, que lá te espero.

Dédalo torna a ir-se pela gruta.

ESFUZIOTE – Adeus, Senhor Dédalo; vossa mercê faça muito boa jornada.

TESEU – Adverte, Esfuziote, que, se revelares o que ouviste, serás castigado por El-Rei, meu pai, pois o braço de um rei chega a toda a parte; e, se fores fiel e eu tiver a fortuna de vencer este monstro, te prometo um prêmio igual à tua lealdade.

ESTUZIOTE – Senhor, nem todos os criados hão de ser lambareiros[53]; peça a Deus que me tenha mão na língua, que eu da minha parte farei o que puder, ainda que me custe.

Sai Licas, embaixador.

---

[53] Mexeriqueiros, que não sabem guardar segredos.

LICAS – Ai, Teseu, que infeliz ventura foi a minha! Pois quando te julguei naufragante nessas ondas pela tormenta, em que tantos baixéis da nossa armada pereceram, aqui te venho encontrar, depois de procurar-te por toda essa marinha, para seres alimento do Minotauro! Oh, que desgraça!

TESEU – Licas amigo, muito me alegro de ver-te; e, pois que em Creta vives com o caráter de embaixador de Atenas, para fazeres a funesta entrega dos sete infelizes tributários do Minotauro, vem apresentar-me a esse tirano Rei, para que sacie em nosso sangue a sede de sua impiedade.

LICAS – Oh, quem não tivera tal incumbência!

ESFUZIOTE – Ah, Senhor Embaixador! Saiba Vossa Senhoria que eu não morri na tormenta.

LICAS – Estimo a tua fortuna, Esfuziote; vamos, Teseu.

TESEU – Dizei-me primeiro: quem era uma ninfa que, seguida de outras, em um festivo coro por aqui passou, chamada Fedra?

LICAS – É uma infanta, filha mais velha[54] de El-Rei, que com a bela comitiva iam para o templo de Vênus e Cupido, a quem sacrificam todos os anos, para que se aplaque o seu rigor, fazendo com que cesse a infame injúria do Minotauro.

TESEU – E não era mais fácil matar o Minotauro, para que cesse a sua afronta?

---

[54] No mito original, Ariadna é a filha mais velha do Rei Minos com Pasifae.

LICAS – Não, que este monstro, como consagrado a Vênus e Cupido, corre por conta destas deidades a sua conservação.

ESFUZIOTE – E diga-me, Senhor Embaixador: quem era uma semininfa[55], chamada Taramela, que também ia nessa turbamulta raparigã[56]; e por sinal que quando andava levantava os pés do chão?

TESEU – Não te calarás?

ESFUZIOTE – Ui, Senhor! Cada qual pergunta pelo que lhe pertence[57]!

TESEU – E quem era outra ninfa, que no exercício da caça a livrei da ferocidade de uma fera?

LICAS – Seria sem dúvida a infanta Ariadna, filha também de El-Rei Minos, que mais adora a Diana nos bosques do que a Vênus nos templos.

TESEU – Ai, Licas, que essa Ariadna...

LICAS – Senhor, vamos! Não cuides por ora nisso.

TESEU – Foi a homicida...

ESFUZIOTE – Senhor, lembre-se da sua alma e deixe Ariadna.

TESEU – Da minha vida, primeiro que o Minotauro...

LICAS – Vamos, Senhor. *(Vai-se).*

TESEU – Vamos, Licas! Ai, Ariadna! *(Vai-se).*

ESFUZIOTE – Ai, Minotauro! *(Vai-se).*

---

[55] Neologismo criado por Esfuziote, para traçar um paralelo cômico entre as princesas Fedra e Ariadna e a criada Taramela.

[56] Turbamulta é sinônimo depreciativo de "multidão"; "raparigã" aumentativo de "rapariga" ou "moça".

[57] Esfuziote explicita, nesta fala, o cerne dos conflitos amorosos tragicômicos: ao final, cada qual deve se manter com seu igual.

CENA II

Templo com as estátuas de Vênus e Cupido e uma pira ardendo[58]*. Sai Lidoro, e canta-se o seguinte:*
CORO

Chegai, moradores de Creta, chegai
ao templo divino de Vênus e Amor.

LIDORO – Quis antecipar-me neste templo de Vênus e Cupido, por ver se nele encontro a bela Ariadna, e mostrar-lhe a sem-razão de sua tirania e o justo motivo de meu incêndio; pois sem que me valha o ser príncipe de Epiro e ter deixado a minha corte, por vir a esta de Creta, só a pretender o seu ditoso himeneu[59], contudo o seu rigor sempre implacável se mostra às minhas finezas. Ó deidades soberanas de Vênus e Amor, em cujas aras arde a vítima de meu coração, fazei que seja ditoso quem sabe ser amante.

ARIADNA – Que violenta vinha algum dia a este templo de Vênus e Amor! Porém, depois que no bosque vi aquele... Mas quem está aqui?

LIDORO – Quem há-de ser, senão uma sombra inseparável do vosso Sol, que por influxo desse mesmo astro se considera Clície de vosso resplendor?

[58] A inserção do fogo em cena era, seguramente, efeito técnico que muito chamava a atenção da audiência da época.

[59] "Casamento".

ARIADNA – Bem pudéreis, Lidoro, deixar essa loucura de vosso amor! Não tem bastado tantos desenganos para despersuadir-vos que mais fácil será que o Sol não alumie, que a escuridade resplandeça e que o fogo esfrie, que no meu peito possa haver amor com que corresponder-vos?

LIDORO – Enfim, Senhora, esse é o último desengano da vossa tirania?

ARIADNA – Admiro-me que tenhais este desengano pelo último, quando pudéreis fazer esse conceito do primeiro.

LIDORO – Assim premiais as minhas finezas?

ARIADNA – Para que as obrastes sem minha licença, sabendo que nisso me ofendíeis?

LIDORO – Pois para que não vos ofenda quem só vos deseja agradar, eu me retiro dos vossos olhos, que só por dar-vos esse prazer serei cruel para comigo. *(Quer ir-se).*

Saem o Rei, Fedra e Tebandro.

REI – Lidoro, que é isso? Quando todos vimos a este anual sacrifício, que em oblação[60] reverente consagra o nosso rendimento nas aras dessas deidades de Vênus e Amor, te retiras?

[60] Expressão católica que remete ao ato de oferecer ou à oferenda dedicada a Deus ou aos santos. Característica da época é a mistura do imaginário e dos costumes católicos às fábulas mitológicas. O próprio Esfuziote traz diversas referências cristãs em seu discurso.

LIDORO – Senhor, a procurar-te ia, vendo que tardavas.

REI – Fedra, Ariadna, não cessem as vossas rogativas, para que essas deidades, menos indignadas, nos livrem da perpétua infâmia desse Minotauro, como labéu[61] afrontoso da nossa régia estirpe. Ai, Pasife frágil, seja a tua memória abominável nos séculos futuros!

TEBANDRO – Senhor, temo que essa melancolia te acabe a vida. Lembra-te que és El-Rei Minos, para que com a tua constância toleres os golpes do pesar.

FEDRA – Senhor, Vossa Majestade deve buscar algum meio eficaz para que cesse a sua mágoa e a nossa afronta.

LIDORO – *(À parte)* Tudo poderá ter remédio, exceto o meu tormento.

ARIADNA – Senhor, se estamos neste templo de Vênus e Amor, por que não consultas o seu Oráculo, para que nos declare quando terá fim a vida do Minotauro?

REI – Ariadna, esse conselho é filho do teu sutil engenho; pois atenção, que nesta forma consulto o seu Oráculo. Vênus soberana, compadecida a nossos gemidos e grata a nossos votos, declara-nos quando terá fim a vida do Minotauro, cuja existência aviva a nossa ignorância.

---

[61] Mácula ou mancha na reputação. No caso, na família do Rei Minos, graças aos caprichos de Pasife que engendraram o Minotauro.

Canta o Oráculo o seguinte:

Quando desse biforme monstro horrendo
vires ser alimento combustivo
um vivo morto e um morto vivo.

REI – Enigmática e prodigiosa é a reposta, pois diz que terá fim a vida do Minotauro, quando lhe servir de alimento um vivo morto, e um morto vivo. Quem viu maior confusão?

LIDORO – É estilo dos oráculos responderem por enigmas.

FEDRA – Que prodígio!

LIDORO – Ainda em maior dúvida ficamos; pois poderá servir de alimento um morto vivo e um vivo morto?

TODOS – Quem será este morto vivo?

LICAS – *(Dentro)* Teseu, entra.

REI – Teseu disseram ali; parece mistério o que seria casualidade.

TEBANDRO – Casualidade é; pois quem poderá ser morto e vivo, ao mesmo tempo?

Saem Teseu, Licas e Esfuziote.

TESEU – Eu; eu sou, ó Rei Minos, o príncipe Teseu, um dos sete infelices que Atenas envia para o feudo do Minotauro.

LICAS – Teseu, Príncipe de Atenas, foi sobre quem este ano caiu a infeliz sorte do tributo; tão rigoroso é o escrutínio, que nem a sua régia pessoa se pode isentar.

REI – Tudo o que vejo são prodígios! Vem, Teseu, a meus braços.

TESEU – Senhor, a teus pés se oferece quem já nem é senhor da sua vida para dedicar-ta; porém estes breves instantes, que o alento se me dilata, desejara diminui-los, para que mais depressa se satisfaça a tua vontade. *(Ajoelha).*

REI – Levantai-vos, esclarecido Teseu, que, suposto vos conduzisse a fortuna a tão infeliz estado, sereis entretanto respeitado como príncipe, e não como réu.

ESFUZIOTE – É muito boa consolação! Aquilo é o mesmo que engordar para matar.

ARIADNA – *(À parte)* Ai de mim, que Teseu foi quem me livrou daquela fera no bosque!

FEDRA – *(À parte)* Oh, que pudera livrar a Teseu de tão funesta morte, pois a sua presença conciliou em meu peito, não sei se amor ou compaixão!

TEBANDRO[62] – Príncipe, sinto com a minha vida não poder remediar a vossa; porém o vosso valor será o lenitivo dessa infelicidade.

LIDORO – Teseu, os que nascemos príncipes, isentos da jurisdição humana, não nos podemos eximir da

[62] Na edição do Prof. José Pereira Tavares, esta fala aparece atribuída a Teseu. Entretanto, de acordo com o conteúdo da fala e das réplicas abaixo, faz mais sentido que Tebandro a profira.

violência dos astros, que influem rigorosos; e assim, não é necessário lembrar-vos de quem sois, para infundir alentos ao vosso espírito.

TESEU – O meu agradecimento e as vossas piedades nesta ocasião são inúteis.

ESFUZIOTE – Que esteja meu amo recebendo em sua vida os pêsames da sua morte! É boa pachorra!

TESEU – Esfuziote, aquela não é a ninfa que eu tive em meus braços, desmaiada?

ESFUZIOTE – Sim, Senhor; ela é a mesma, e vejam o que tem crescido! Ah, Senhor, e também a outra é aqueloutra[63].

REI – Dizei-me, embaixador: e todos os sete mancebos do tributo vêm com o príncipe Teseu?

LICAS – Como houve, Senhor, uma grande tempestade, em que o baixel naufragou, muita parte da gente pereceu, e dos tributários só se acham seis, com o príncipe.

REI – Eu não hei-de receber menos número que o de sete; pois nem ainda todo esse sangue é bastante para elidir as manchas de vossas aleivosias[64].

ESFUZIOTE – (*À parte)* Este Rei será amigo de sarapatel?

TESEU – Senhor, sendo eu príncipe, parece que valho por dois.

LICAS – E quando não, aqui está este criado, que completará o número dos sete.

---

[63] Aquela outra (referindo-se a Fedra).

[64] Traições à confiança depositada.

ESFUZIOTE – Irra! Ah, Senhor embaixador, faça-me mercê de se não meter com as vidas alheias! É boa graça!

LICAS – Não vês que El-Rei está teimoso em que sejam sete, e não há senão seis; e como tu estás aqui, por força hás-de ser um deles?

ESFUZIOTE – Senhor Minotauro; requeiro a Vossa Majestade...

TESEU – Adverte que El-Rei chama-se Minos, e não Minotauro.

ESFUZIOTE – De Minos a Minotauro pouco vai.

LICAS – Senhor, Vossa Majestade saiba que este homem é um tonto.

ESFUZIOTE – Sim, Senhor; sou tão tonto, que desse monstro não quero ser comido por concomitância, e logo requeiro a Vossa Majestade que o Minotauro me não pode comer.

REI – Por quê?

ESFUZIOTE – Porque é meu inimigo capital.

REI – Por isso mesmo te comerá.

ESFUZIOTE – Não, Senhor, que quem me quer mal me não pode tragar.

LIDORO – O homem é divertido; quero apurá-lo. Homem, o Minotauro não sabe fazer diferença de amigos e inimigos.

ESFUZIOTE – Ainda essa é pior! Pois, Senhor, eu desengano que, se o Minotauro me come, bem lhe pode abrir a cova, que morre sem falta.

LIDORO – Por quê?

ESFUZIOTE – Porque sou um veneno.

LIDORO – Também o Minotauro é venenoso, e um veneno não mata outro veneno.

ESFUZIOTE – Para que se cansam, Senhores? Saibam que eu para alimento sou muito indigesto.

REI – Seja como for, eles hão-de ser sete mancebos, os do tributo.

ESFUZIOTE – À que de Vossa Majestade[65], Senhor! Por força hão-de ser sete mancebos.

REI – Assim foi a capitulação.

ESFUZIOTE – Pois eu não posso servir para isso.

LIDORO – Por que não?

ESFUZIOTE – Porque não; porque eu não sou sete mancebos; sou um só; e ainda esse sabe Deus o que vai por cá[66]!

LIDORO – O Minotauro não há-de engolir os sete mancebos juntos por uma vez, senão um a um.

ESFUZIOTE – Ui, Senhor! Que tem o Minotauro que se amancebar[67] com a minha vida?

LIDORO – Senhor, o criado convém conservá-lo, que é galante.

---

[65] Variante cômica da expressão "à que de El-Rei", locução interjectiva com sentido de pedido de ajuda ou de socorro.

[66] O criado utiliza a lógica do mundo às avessas para tentar se salvar da morte no labirinto do Minotauro. Além disso, há a menção a Deus. Embora pareça anacrônico, de fato, este tipo de inserção no texto das personagens baixas ajuda o público mais popular a se identificar com estas personagens e acompanhar melhor a intriga.

[67] Jogo cômico de palavras com "mancebo" (moço muito jovem) e "amancebar" (ligar-se maritalmente a alguém sem laços de casamento).

REI – Andar; cuidaremos nisso! O embaixador hospede a Teseu. Lidoro, vem comigo. *(Vai-se).*

LIDORO – Ainda sem esse preceito iria, só por não ver a uma ingrata, que tanto tiraniza os meus extremos. *(Vai-se).*

FEDRA – *(À parte)* Toda a minha alma ocupa a pessoa de Teseu. Verei se acho algum meio de redimir a sua vida. *(Vai-se).*

TEBANDRO – *(À parte)* Vamos, coração, a experimentar novas tiranias em Fedra. *(Vai-se).*

LICAS – Teseu, vem. *(Vai-se).*

TESEU – Vai, que eu te sigo.

ESFUZIOTE – Vá-se cos diabos, embaixador de uma figa, que eu lhe pregarei[68].

TESEU – Belíssima Ariadna, que venturosa seria a minha morte, se eu levara a certeza de que ao menos na tua memória vivia conservado este extremo de meu amor! Lembra-te, bela homicida, não de me isentares da morte que me espera, mas sim deste amoroso tormento que me aflige.

ARIADNA – Teseu, quando no bosque vos considerei forasteiro, repreendi o vosso atrevimento, e agora, que vos reconheço príncipe, estranho muito o vosso delito; e, pois quando me destes a vida, prometi defender a vossa, estou pronta a cumprir a minha palavra. *(À parte)* Ai, amor, quem pudera declarar-se!

---

[68] Esfuziote apenas xinga o embaixador depois que este já está fora de cena.

TESEU – Não peço recompensa de uma ação que ao princípio não foi executada a vosso respeito, por ser casual aquele arrojo do meu valor e natural obrigação de um generoso peito. Só desejara que não desprezásseis este bem nascido afeto de meu amor[69].

ARIADNA – Príncipe, aceitai por ora a minha recompensa, que quem vos ampara a vida talvez que a faça venturosa.

ESFUZIOTE – Aceita, Senhor, que ao mau pagador, em farelos[70].

TESEU – E quem me assegura essa esperança?

ARIADNA – Se não vos satisfazeis da minha palavra, solenemente o jurarei nessa imortal pira de Vênus e Amor.

TESEU – Pois eu também, para revalidar o meu voto, nessa chama de amor serei Fênix da minha fineza, para que das cinzas dos teus estragos renasçam os extremos dos meus ardores.

Canta Ariadna e Teseu o seguinte:

TESEU – Ó tu, cândida filha do falso elemento.
ARIADNA – Ó tu, cega deidade, que as almas dominas,
TESEU – Sabei que eu, amante,
ARIADNA – Sabei, que eu, constante,
TESEU – Prometo abrasar-me de amor nos incêndios,

[69] Teseu explora as características do cortesão e, mais ainda, do galán espanhol e do enamorado português, de acordo com a definição de Prades (1962, p. 251).

[70] Isto é, ao mau pagador, paga-se em farelos.

ARIADNA – Prometo guardar do príncipe a vida,
TESEU – Com fé inviolável,
ARIADNA – Com voto sagrado,
AMBOS – Da morte e da vida no último estado. *(Vão-se).*

ESFUZIOTE – Não me pode esquecer alcovitar-me o Senhor Embaixador, para que eu fosse pastinho do Minotauro! Mas pelo sim, pelo não, já que me acho recolhido no sagrado deste templo, daqui não sairei, ainda que me deitem a paus. Mas ai, que aí vem aquela moça chamada Taramela, que eu vi no bosque! Eu me escondo atrás desta estátua, para que me não veja, e observarei o que faz.

Põe-se Esfuziote atrás da estátua, e sai Taramela com uma vassoura na mão

TARAMELA – Graças a Cupido, que já todos se foram e poderei sem empecilhos exercitar o voto, que tenho feito, de varrer todos os dias este templo de Vênus, para que me case com um moço frança[71], destes de pasta na cabeleira e relógio de penduricalhos!

ESFUZIOTE – Ai, que Taramela quer que Vênus a case! E ela o fará. Valha-me agora a indústria de amor.

---

[71] Moço frança é aquele que se veste com demasiado apuro. Há aqui um recurso metateatral, formulado como uma crítica aos janotas da altura, que se enfeitavam como descrito pela personagem, arrumando o cabelo e com relógio de bolso.

Varrendo o templo, Taramela canta o seguinte:

TARAMELA – Ai, amor, se me dás um marido,
vassoura vivente do templo serei.

ESFUZIOTE – Quero fingir que sou Vênus.

Canta Esfuziote o seguinte em falsete:

Taramela, se queres marido,
aqui mesmo no templo, no templo o darei.

TARAMELA – Ai, que Vênus me respondeu favorável à minha petição! Ó minha deusa, dizei-me outra vez quem será o meu ditoso marido.

Canta Esfuziote o seguinte recitado em falsete:

Teu marido será em teu conforto
um morto vivo e um vivo morto[72].

TARAMELA – Que galante reposta! Entendo que nunca casarei; pois como pode ser meu marido um vivo morto?

Sai Esfuziote[73].

[72] Observe a similaridade da fala que Esfuziote compõe para Taramela e aquela proferida pelo Oráculo.

[73] Neste trecho, o criado arremeda as finezas do galán, entretanto dentro de sua própria mundividência e linguagem, ambas carnavalizadas. A caricatura à fala cortesã é outro traço característico do criado, especialmente reforçado em alguns, como Esfuziote, por exemplo.

ESFUZIOTE – Agora eu! Sapientíssima Taramela, um naufragante peregrino, combatido das ondas, mareado dos mares, açoitado dos ventos e enjoado das maresias vem hoje a oferecer o traquete do seu amor aos joanetes de teus pés, para que, dependurado no templo de tua formosura, se ostente troféu da tua galhardia.

TARAMELA – Que galante coisa! Explique-se, que eu ainda não sei o que vossa mercê me disse.

ESFUZIOTE – São efeitos do crepitante incêndio, que o vulcão de meu peito transpira pelos metais do idioma.

TARAMELA – Senhor estrangeiro, eu não entendo palavra.

ESFUZIOTE – Já que não entendes de estilos crespos, te falarei em frases estiradas. Eu, Senhora Taramela, sou um soldado da fortuna, que a venho buscar mais ditosa no conjúgio[74] de vossa mercê.

TARAMELA – Tire-se para lá, não venha zombar da gente; ande; vá-se; deixe-me acabar de varrer, para que entre o lixo do templo encontre o marido que a deusa me promete.

ESFUZIOTE – Suspende, galharda ninfa, essa vassoura dos sentidos, essa escova das almas, esse basculho do coração, esse espanador das potências e esse esfulinhador dos afetos; pois já por ti me considero louco varrido.

TARAMELA – Ai, Senhor! Não me fale nisso, que eu sou muito sisudinha e uma moça donzela, que estou aqui para honra e casamento.

[74] União matrimonial.

ESFUZIOTE – Se estás aqui para honra e casamento, tudo achaste em mim.

TARAMELA – E de que sorte?

ESFUZIOTE – Eu te digo: se estás para casamento, aqui tens marido; e se para honra, honra terás, se casares comigo; e não digo o mais, pois, sem saber se me queres, não te direi quem sou.

TARAMELA – Pois só saberei querer, quando souber quem vossa mercê é.

ESFUZIOTE – Pois, Taramela, prometes pôr o teu nome na boca?

TARAMELA – Sou tão calada, que não como por não abrir a boca.

ESFUZIOTE – Já que és tão secreta, saberás que eu sou o príncipe Teseu, sobre quem caiu a sorte (ou o azar, para melhor dizer) de ser alimento do Minotauro. Eu, para escapar desta comichão, me ajustei por uma grande soma de dinheiro com um criado meu, chamado Esfuziote, para que dissesse que era eu e desse a vida por mim; e, como o criado me queria bem, não foi difícil o morrer por mim.

TARAMELA – E há homens que se matam por dinheiro?

ESFUZIOTE – Filha, todos morrem por dinheiro. Enfim, trocamos os vestidos[75] e os nomes; pois ele morre com o nome de Teseu, e eu vivo com o de Esfuziote.

---

[75] "Vestidos", no caso, é sinônimo de "vestes".

TARAMELA – Ai, Senhor, Vossa Alteza, sendo quem é, quer casar com uma rascoa[76], podendo empregar-se em uma princesa? (*Ajoelha*).

ESFUZIOTE – Levantai-vos! Prometi a Vênus, em uma tempestade que tive, casar com a primeira mulher que visse em terra, que foste tu, se acaso te lembra um beliscão que te dei hoje, vindo tu dançando por esses bosques.

TARAMELA – Ai, é verdade! Basta que foi Vossa Alteza?

ESFUZIOTE – Fui eu que te quis marcar com a unha, para a todo o tempo te conhecer. Pois que dizes? Está justo o teu amor, ou ainda peca em alguma desconfiança?

TARAMELA – Senhor, tudo está muito bem; mas Vênus me disse que havia ser meu marido um vivo morto, e Vossa Alteza não é morto vivo.

ESFUZIOTE – Isso é o que te parece! Queres ver como eu sou esse que te disse a deusa? Ora atende:

SONETO

Eu sou, ó Taramela, o vivo morto,
que por ti me imagino morto e vivo;
mas não cuides que vivo, porque vivo,
pois, ainda que vivo, vivo morto.

Na cova de um desdém me enterras morto;
no aceno de um favor me alentas vivo;
se me afagas; desperto como vivo;
se te agastas, esfrio como morto.

[76] Mulher comum; aia.

Nesta batalha, pois, de morto e vivo,
na vida de um favor me alentas morto,
na morte de um desdém me matas vivo.
Sou, enfim, morto vivo, e vivo morto,
se, qual Fênix nas cinzas, quando vivo,
mariposa nas chamas, quando morto.

TARAMELA – Já sei que Vossa Alteza é o vivo e morto que me disse a deusa; mas, como casa por voto e não por amor, será o seu matrimônio mais por força que por vontade.

ESFUZIOTE – Taramela, no amor toda a vontade é forçada, pois quem por seu gosto há-de apetecer os sopapos de Cupido e os pontapés de Vênus, que para adorno do seu rigor fazem gala da tirania e galacé[77] do martírio[78]?

TARAMELA – Para que sossegue a minha desconfiança e acredite o seu amor, meta Vossa Alteza a mão naquele fogo de Amor, no qual se experimenta dos amantes a constância; se a chama o não abrasar, reconhecerei que me quer bem[79]; e, quando não, é certo que quem se queima alhos come, que essa é a virtude especial daquele fogo.

ESFUZIOTE – E que tem o amor com os alhos?

---

[77] Galão estreito. Palavra utilizada para fazer trocadilho com a palavra "gala", na mesma fala.

[78] Depois das falas à moda cortesã que Esfuziote tentou usar para seduzir Taramela, e esta as entendeu como uma língua estrangeira, aqui o criado usa de uma linguagem baixa, a qual a criada compreende perfeitamente.

[79] Em *Anfitrião, ou Júpiter e Alcmena*, peça anterior do mesmo autor (1733), há um desafio similar. Alcmena deve segurar em uma barra de ferro em brasa para provar que não foi adúltera.

TARAMELA – Não vê que o alho destrói a virtude do ímã, que é o símbolo do amor?[80]

ESFUZIOTE – Isso é coisa de poetas; mas, se queres que pelo meu amor meta a mão nesse fogo, eu o farei, que se ele não abrasa a quem ama, seguro estou de ofender-me o seu incêndio.

TARAMELA – Ora vá e não trema.

Cantam Esfuziote e Taramela a seguinte
ÁRIA A DUO

TARAMELA – Meta a mão na chama ardente,
e verei o seu amor.
ESFUZIOTE – Tu verás como valente não me
abrasa o seu ardor.
(Mete a mão) Mas ai, que me
abraso!
Mas ai, que me queimo!
TARAMELA – Assopra.
ESFUZIOTE – Eu assopro.
TARAMELA – Vá-se daí.
Já sei me não ama.
ESFUZIOTE – Se vês que me inflamo;
por isso te amo.
AMBOS – E, se acaso ainda o duvidas,
este fogo to dirá.
(Esfuziote quando fala em fogo *aponta para* o *seu peito, e Taramela para a pira).*
TARAMELA – Já tenho entendido,
ESFUZIOTE – Já tenho alcançado,

[80] A lógica absurda do raciocínio dos criados é novamente vista na correspondência que Taramela faz entre o fogo, o alho e o ímã.

TARAMELA – que o cego Cupido,
ESFUZIOTE – que o monstro vendado,
AMBOS – aí não está.

(Na palavra "aí", *aponta Taramela para o peito de Esfuziote e este para a pira).*

Sai Sanguixuga

SANGUIXUGA – Também este murro to dirá! desavergonhada, louca, furada do miolo! Tu aqui cantando, só, um duo com um machacaz?! Ai, mofinos[81] sessenta e três anos!

TARAMELA – Minha tia, não se agaste, que mal sabe o que vai.

SANGUIXUGA – Que vai, nem que vem? Que fazias aí dando à taramela[82] com esse magano[83]?

TARAMELA – Ai, que blasfêmia! Não diga tal, que mal sabe quem ali está.

ESFUZIOTE – Sempre hei-de encontrar com velhas! É bom fadário[84]!

SANGUIXUGA – Pois dize-me: que homem é esse?

TARAMELA – *É* um homem grande; nós falaremos mais devagar.

---

[81] "Machacaz" e "mofinos" significam, respectivamente, "espertalhão" e "infelizes".

[82] Dar à taramela: falar muito.

[83] Malandro.

[84] Fado ou destino.

SANGUIXUGA – Homem grande é besta de pau, e tu és besta em carne, que te deixas enganar de semelhantes velhacos.

ESFUZIOTE – Que é isso, Taramela?

TARAMELA – Senhor, é minha tia, que se vem pôr aos pés de Vossa Alteza. *(À parte)* Tia, faça o que lhe digo, que não sabe a fortuna que nos espera.

SANGUIXUGA – Senhor, Vossa Alteza dê-me os seus pés.

ESFUZIOTE – Se vos der os meus pés, ficareis com quatro.

SANGUIXUGA – Senhor, Vossa Alteza releve a minha desatenção, que eu o não conhecia.

ESFUZIOTE – Não vos culpo o não conhecer-me, que nós, os príncipes, não temos sobrescrito; e, ainda que o tivera, como não sabeis ler, não podíeis soletrar no alfabeto de minha pessoa os caracteres de minha nobreza. Levantai-vos! Como vos chamais?

SANGUIXUGA – Sanguixuga, meu Senhor.

ESFUZIOTE – Sanguixuga? Não vos pese, que em certa parte valereis muito[85].

SANGUIXUGA – Isso são favores que Vossa Alteza me faz.

ESFUZIOTE – Pois ficai-vos embora, e dizei a vossa sobrinha que vos participe o bem que lhe espera. Guardai segredo, que a vós também vos casarei com o meu embaixador, para que a vossa descendência saia à luz.

---

[85] Jogo com o nome de Sanguixuga, que quer dizer sanguessuga. Estes animais eram utilizados nas sangrias executadas pelos barbeiros – tratamento bastante popular antes do século XX.

SANGUIXUGA – Ai, Senhor! Eu já sou quinquagenária e não sei se poderei casar.

ESFUZIOTE – Agora! Ainda estais capaz de romper umas solas; e, no caso que vos seja necessária menos idade, eu vos mandarei passar uma provisão, para que tenhais somente quinze anos. *(Vai-se).*

SANGUIXUGA – Rapariga, que diabo é isto? Conta-me, que estou confusa.

TARAMELA – Senhora, aqui não é lugar disso; vamos para casa, que lá saberá coisas nunca vistas. *(Vão-se).*

CENA III

Câmera[86]*. Sai Fedra.*

FEDRA – Depois que no templo vi ao príncipe Teseu, não sei que doce atrativo se oculta em sua pessoa, que, por mais que o desvie do pensamento, me penetra o coração! Oh, ninguém estranhe os precipícios de amor, que do mais isento peito sabe triunfar! E, pois me considero amante, bem é que defenda a sua vida.

Sai Lidoro.

---

[86] Câmara. Um aposento da casa.

LIDORO – Já que as incríveis finezas de meu extremo lamentam os desprezos de Ariadna, recorrerei ao último artifício de amor, que é abrandar o seu desdém com outro desdém; para o que me quero declarar amante de Fedra. Mas ela aqui está.

FEDRA – Lidoro, que profunda tristeza vos penaliza? Porventura minha irmã não merece júbilos em vosso coração?

LIDORO – Bem é verdade, Senhora, que quando cheguei a esta corte de Creta, a pretender esposa na régia estirpe de Minos, vosso pai, por achar ao príncipe de Chipre pretendendo a vossa beleza, foi preciso, por não desgostar ao príncipe no seu empenho, servir eu a Ariadna; porém, como este rendimento era mais hipocrisia da política que rendimento de um verdadeiro culto, sempre ardeu impura a vítima, e violento o sacrifício; porque o mesmo suspiro que o incendia era paroxismo que o aniquilava; e assim, galharda Fedra, se até aqui viveu oprimida a minha inclinação a violências de um respeito, agora que, impaciente, a minha dor rompe o reverente silêncio, desejara, não que me premiásseis a minha fineza, mas sim que recebêsseis o tributo de minhas adorações.

FEDRA – Cuido, Lidoro, que o vosso amor degenerou em loucura.

Sai Ariadna ao bastidor.

ARIADNA – Verei se encontro a Teseu. Mas aqui está Fedra com Lidoro! Esperarei que se vão.

LIDORO – Só a vós, galharda Fedra, consagro os finos ardores de meu peito.

FEDRA – Ainda que me fora lícito acreditar essa fineza, como toda corte sabe que publicamente servis a Ariadna, seria indecente desatenção corresponder eu a um amante de minha irmã.

ARIADNA – Que ouço! Lidoro pretende a Fedra?! Se eu lhe tivera amor, motivo havia para ter zelos.

LIDORO – O mostrar-me algum dia amante de Ariadna pode-se emendar com algum pretexto de razão de Estado, que nos príncipes é lícito o variar de intentos; pois sempre se doura a desatenção com o interesse da monarquia. Mas cuido que aí veio Ariadna. Eu me retiro, Senhora, para que vejais que só na vossa vista me elevo.

Esconde-se Lidoro junto ao bastidor e sai Ariadna.

ARIADNA – Agora verá Lidoro se sei vingar os meus desprezos[87].

Sai Tebandro ao bastidor.

---

[87] As falas enunciadas "no bastidor", embora sejam na maioria das vezes direcionadas ao público, não carecem da didascália "à parte" por seu posicionamento em cena. Por estarem escondidos para as demais personagens, mas à vista do público, suas falas são consideradas em "à parte" ou solilóquios.

TEBANDRO – Vou receber de Fedra o último desengano. Mas com Ariadna está; eu me retiro[88].

ARIADNA – Como na monarquia do amor o interesse sabe dourar desatenções, por esse motivo me animo a dizer-te que, como sei desdenhas ao príncipe Tebandro e eu também por natural antipatia aborreço a Lidoro, que troquemos os amantes, para que na mudança dos sujeitos mude também o coração de afetos.

LIDORO – Ah, tirana inimiga! Não sem causa eram os teus desvios!

TEBANDRO – Ariadna me favorece; não será desacerto vingar-me de Fedra.

ARIADNA – Só dessa sorte será ditoso o meu himeneu. Fedra, que dizes?

FEDRA – Eu não troco a quem adoro por nenhum outro amante; pois vivo tão satisfeita com o meu amor que não acho outro equivalente que o possa recompensar. *(À parte)* Ai, Teseu, só a ti se dirigem os mudos suspiros de meu peito.

TEBANDRO – Alma, respiremos.

LIDORO – Quem vira o seu amor tão premiado!

ARIADNA – Se sei desprezas a Tebandro, para que afetas esse carinho, só para que não tenha a fortuna de ver-me querida dele? Olha que em Lidoro acharás melhores finezas.

FEDRA – Por que desprezas a quem te sabe amar?

ARIADNA – Porque não sei amar a quem aborreço.

---

[88] A personagem anuncia "eu me retiro", todavia se mantém em cena, mas nos bastidores.

LIDORO – Já me falta o sofrimento; vou-me, antes que me acabe a desesperação. *(Vai-se).*

FEDRA – Se tu não podes amar a quem aborreces, eu não posso aborrecer a quem amo.

Canta Fedra a seguinte
ÁRIA

Querendo a quem amo,
não busco mais glória,
não quero outro amor.

No bem que me inflamo
consegue a memória
triunfo maior. *(Quer ir-se).*

Sai Tebandro.

TEBANDRO – Espera, constante Fedra; deixa que, rendido ao belo simulacro de tua deidade, consagre adorações quem se acha favorecido dos teus agrados.

FEDRA – Não sei que coisa vos motiva a esse rendimento!

TEBANDRO – O ver correspondida a minha fineza.

FEDRA – Que quer dizer correspondida a vossa fineza? Se eu entendera que o meu coração era capaz desse sentimento, o arrancara de meu peito.

TEBANDRO – Parece impróprio esse desdém à vista da confissão que agora fizestes.

FEDRA – Quando as vozes se encontram com os afetos, melhor é crer a estes do que àquelas. *(Vai-se).*

Sai Lidoro ao bastidor.

LIDORO – Impaciente, em nenhuma parte sossego. Mas que vejo! Tebandro com Ariadna?! Observarei seu intento.

TEBANDRO – Quem viu, Ariadna, o seu amor em maior confusão? Já não quero amar a uma ingrata que me ofende; e, pois sei que para o teu agrado prefere à minha fortuna a de Lidoro, quero seguir as luzes de teu esplendor, já que propícias alumiam a esfera de meu peito; e assim...

ARIADNA – Muito me ofendeis nesse vil conceito que de mim formais; pois, a ser possível que a chama do amor ardesse em meu peito, não seríeis vós a causa desse incêndio; pois naquele que me idolatra sobram motivos para o meu rendimento. *(À parte)* Ai, Teseu, só a tua fineza será premiada.

LIDORO – Coração, torna a reviver.

TEBANDRO – Pois vós mesma não dissestes a Fedra que na mudança dos sujeitos mudaria o coração de afetos?

ARIADNA – Se vedes agora contrários esses afetos, crede aos olhos e não aos ouvidos.

TEBANDRO – Já sei que, desenganado, só amarei a minha morte. Oh, louco amor, que néscio é quem se fia das tuas inconstâncias! *(Vai-se).*

Sai Lidoro.

LIDORO – Já sei, Ariadna, que não sou tão infeliz como imaginava; e, suposto me considere sem méritos para alcançar teus soberanos favores, a tua piedade, compadecida do meu tormento, já me coroa triunfante dos teus repúdios.

ARIADNA – Lidoro, como enfermais de amante, sem dúvida essa ideia será delírio da fantasia.

LIDORO – Parece incompatível esse desvio e aquela expressão; pois afirmastes que naquele que vos adorava, que já vê que sou eu, sobravam motivos para o vosso rendimento.

ARIADNA – Não há dúvida que o meu amor confessa rendimentos[89], e por isso, como rendido, vive prisioneiro de um desdém, que é o que só triunfar na batalha da vossa porfia[90].

LIDORO – Ah, tirana, cruel, inimiga! Não era melhor deixar que a contingência da fortuna mudasse o teu rigor, e não com o desengano sepultar a viva constância da minha fé?

ARIADNA – Não, que a vossa porfia só se desvanece com um total desengano.

LIDORO – Já que desenganado morro às violências desse nunca visto rigor, não estranheis os delírios da minha mágoa nos últimos períodos da minha vida.

---

[89] Trocadilho entre "rendimentos" e "rendido", dito na próxima frase.

[90] Obstinação.

Canta Lidoro a seguinte
ÁRIA

Já que eu morro, ó fera hircana[91],
sem remédio, a teus rigores,
impaciente, louco, amante,
delirante,
com gemidos e clamores
de ti aos céus me hei-de queixar.

A minha alma, vaga, errante,
não te assustes, quando a vires,
que, por mais que te retires,
te há-de sempre acompanhar. *(Vai-se).*

ARIADNA – Ninguém pretenda violentar a vontade, quando vive ligada às violências de outro amor. Ai, Teseu, que as nossas vidas ambas se consideram tributárias, se a tua ao Minotauro, a minha ao amor!

Sai Esfuziote com um papel na mão e ajoelha.

ESFUZIOTE – Deus vá comigo! Senhora, um requerente da sua vida vem hoje a pretender, no tribunal de vossa piedade, a renovação de mais vidas em um prazo foreiro à morte, que o querem julgar por devoluto ao Minotauro, que intenta ser o direito senhorio desta vida; e, se Vossa Alteza, Senhora, me alcança a supervivência, eu lhe pagarei o foro da consciência com o laudêmio de mil louvores[92].

---

[91] Proveniente da Hircânia, região localizada ao sul do mar Cáspio.

[92] Linguagem jurídica, burlescamente utilizada por Esfuziote para interceder em razão de salvar a própria vida.

ARIADNA – Levantai-vos! Que é o que quereis?

ESFUZIOTE – Este murmurial[93] o dirá.

ARIADNA – Lede-o vós mesmo.

ESFUZIOTE – Pois, já que eu sou o pio leitor, seja Vossa Alteza a piedosa ouvinte.

DÉCIMA[94]

Diz um pobre Esfuziote,
condenado a não ter vida,
que certa morte atrevida
lhe quer pregar um calote;
que, pois não é D. Quixote[95]
para ações desta relé,
pede humildemente quê,
antes que morra em tais danos,
lhe deem de vida cem anos.
E receberá mercê.

ARIADNA – Suponho que sois a quem o embaixador de Atenas ofereceu a El-Rei, meu pai, para completares o número dos sete do tributo.

---

[93] Alteração cômica da palavra "memorial".

[94] Como se verá nestas décimas e no decorrer desta cena entre Ariadna e Esfuziote, a comicidade empregada por Antônio José para a composição de seu gracioso é menos intrínseca à intriga e mais esquemática e fortuita. Este tipo de comicidade, por muito tempo, foi rechaçado como baixo e indigno pela crítica. Hoje em dia, entende-se este recurso como pertencente à linguagem cômica e suas nuances.

[95] A referência ao *Dom Quixote*, de Miguel de Cervantes, traz o mito grego para o imaginário do público setecentista, quando a novela cervantina era muito famosa e grandemente difundida.

ESFUZIOTE – Sim, Senhora; eu sou o próprio a quem impropriamente o embaixador, que o Diabo o leve, me malsinou a Sua Majestade, que Deus guarde[96].

ARIADNA – O embaixador não andou bem.

ESFUZIOTE – Como havia de andar bem, se ele é zambro[97]? Pois, não sendo eu nenhum dos sete sobre quem caiu a sorte, como quer desta sorte trocar a minha sorte, pois isto se não deve fazer de nenhuma sorte?

ARIADNA – E vós a que viestes a Creta?

ESFUZIOTE – Vim acompanhando ao príncipe Teseu.

ARIADNA – Sois seu criado?

ESFUZIOTE – Algo, mas sou seu gentil-homem[98] e às vezes, em caso de necessidade, sirvo de camareiro.

ARIADNA – Na verdade que sinto muito a desgraça de Teseu.

ESFUZIOTE – Mais a sente ele; porém parece que ele não sente tanto a morte, como outra coisa que diz tem atravessada na garganta como espinha de cação.

ARIADNA – Que causa pode haver que sinta mais que o morrer?

---

[96] Mais duas expressões do linguajar corrente em Portugal no século XVIII. Ambas, além do evidente jogo cômico com o público, carregam uma ideia, mais do que uma referência direta a Deus ou ao diabo cristãos.

[97] Que tem as pernas tortas.

[98] "Gentil-homem", enquanto substantivo, era um título de nobreza. Aqui, enquanto adjetivo, quer dizer "gracioso", embora Esfuziote, como chiste cômico, possa ainda atribuir-lhe o terceiro significado, irônico, de "um homem gentil", tão gentil que lhe serve como criado, em caso de necessidade.

ESFUZIOTE – Segundo o que lhe ouvi dizer um dia, parece que um menino, cego e nu, pespegou-lhe com uma seta no coração, que o partiu de meio a meio; e este golpe, por lhe ter chegado ao vivo, tem quase morto.

ARIADNA – Pelo que dizes, Teseu padece o mal de amor.

ESFUZIOTE – Não, Senhora; eu cuido que é mal de Ariadna, pois sempre o ouvi queixar: "Ai, Ariadna, que me mataste! Ai, Ariadna, que me fizeste e aconteceste!" Com que Ariadna é o seu mal e não o amor.

ARIADNA – Pois dizei a Teseu, que essa Ariadna... (*Vai andando)*.

ESFUZIOTE – O que hei-de dizer, Senhora?

ARIADNA – Mas não; não lhe digais nada.

ESFUZIOTE – Sim, Senhora, eu lhe direi isso; porém, Senhora, terá despacho o meu memorial?

ARIADNA – Basta seres criado de Teseu, para vos apadrinhar[99].

ESFUZIOTE – Ora não se esqueça de ser minha madrinha neste negócio.

ARIADNA – Ouves tu? Dize a Teseu que não é ele só o que... Mas não, não digas nada. *(À parte)* Louco amor, não me precipites! *(Vai-se)*.

---

[99] É comum que os criados, e especialmente os graciosos, sejam protegidos de alguma figura elevada da intriga – como Chirinola pede que Ismene interceda por Chichisbéu em *O precipício de Faetonte*, por exemplo. Em *O labirinto de Creta*, como o *galán* protagonista não tem força política no enredo para livrar Esfuziote, este recorre a Ariadna, a primeira *dama*.

ESFUZIOTE – Que casta de recado é este! "Dize a Teseu; não digas nada a Teseu!" A mim me melem, se o nada desta Infanta não é alguma coisa! E, se não, quem viver verá.

Saem Taramela e Sanguixuga.

TARAMELA – Senhor Teseu.

ESFUZIOTE – Tá, tá, Taramela! Não me chames Teseu tanto às claras, que no paço até as paredes tem ouvidos; trata-me por Esfuziote, em ordem a maior disfarce.

SANGUIXUGA – Meu Senhor, esta rapariga tem o miolo muito leve; por isso não pesa o que diz; e Vossa Alteza (perdoe-me!) fez muito mal em comunicar-lhe segredo de tanta suposição.

ESFUZIOTE – Olhe, tia.

SANGUIXUGA – Ai, Senhor! Eu, tia de Vossa Alteza?! Quem sou eu para tanta dignidade?

ESFUZIOTE – Não posso tirar-lhe o grau que por afinidade lhe pertence.

SANGUIXUGA – Serei o que Vossa Alteza for servido.

ESFUZIOTE – Mas, tia, como ia dizendo, não pude deixar de comunicar a Taramela a minha régia prosápia[100], que quem ama deveras não sabe mentir.

---

[100] Ascendência.

TARAMELA – Pois, Senhor, é possível que eu de criada hei-de passar a princesa[101]?

ESFUZIOTE – E não é pior passar de princesa a criada? Pois sabe que dessas monstruosidades se acham nas histórias; mas, com tua licença, havemos mudar este nome de Taramela, que não é decente para uma princesa de Atenas, pois taramela[102] é coisa que anda por portas e não por tronos.

SANGUIXUGA – Tudo se fará! Mas diga-me, Senhor: já Vossa Alteza disse ao embaixador que eu havia de casar com ele?

ESFUZIOTE – Sim, sim; já lho insinuei; e o embaixador, vendo que era gosto meu este sanguixugal matrimônio, disse que estava pronto; com que, em o vendo, fale-lhe na matéria.

SANGUIXUGA – Ui, Senhor! Pois eu, sendo mulher, hei-de falar primeiro a um homem em casar?! Apelo eu por mim!

ESFUZIOTE – Não se lhe dê disso, que o tal embaixador é mesmo acanhado de si, curto dos nós[103] e vergonhoso. *(À parte)* Ao menos não se livrará o embaixador do Minotauro desta velha.

TARAMELA – Tornando ao nosso intento, digo, Senhor, que já me tomara ver nessas limpezas, para ver se Fedra e Ariadna são melhores do que eu.

---

[101] O interesse de ascensão dos criados em senhores é motivo recorrente no teatro ibérico. Antônio José, nesta peça, o eleva a primeiro plano da intriga secundária.

[102] Além de pessoa tagarela, "taramela" também se refere ao fecho de porta ou janela.

[103] De pequena estatura.

ESFUZIOTE – E talvez que então tu as não queiras por tuas criadas.

TARAMELA – Essa mesma grandeza me faz desconfiar da sua palavra.

SANGUIXUGA – Ui, tola! Tu chegas a dizer que desconfias da palavra de um príncipe? Senhor, releve, que são raparigas que cuidam que o mesmo são alhos que bugalhos.

ESFUZIOTE – Já é costume nas senhoras mulheres cuidarem que os homens sempre as enganam! Pois, para que vejas que mais depressa faltará água no mar do que amor em meu peito, quero praguejar-me, que é o verdadeiro juramento dos amantes.

Canta Esfuziote a seguinte
ÁRIA

Se cuidas, menina,
que eu seja perjuro,
pois olha, eu te juro,
um raio me parta,
me abrase um corisco,
o Diabo me leve,
se eu falso te for.

Mas ai, Taramela,
se és linda, se és bela,
terás em meu peito
seguro o amor. *(Vai-se).*

Sai Licas, embaixador.

LICAS – Viste a Teseu por aqui?

SANGUIXUGA – Ainda agora daqui se vai... *(À parte)* Não é despiciendo[104] o meu futuro noivo!

LICAS – Vou a falar-lhe, que importa.

TARAMELA – Espere, Senhor, que minha tia tem que lhe dizer coisa de importância. Fale, tia.

SANGUIXUGA – Ai, rapariga, deixa-me tomar o fôlego, que estou embaçada!

LICAS – Diga depressa, que não tenho muito vagar.

SANGUIXUGA – De sorte, Senhor, que eu bem sei que não sou capaz de ser sua criada[105].

LICAS – Que mais?

SANGUIXUGA – Que mais hei-de dizer? Vossa Senhoria não me entende já o que quero dizer?

TARAMELA – Ora, Senhor, não seja acanhado, que isso é não ser homem.

LICAS – Que dizem, que as não entendo?

SANGUIXUGA – Não se faça agora moquenco[106]; já sabemos que é curto dos nós.

TARAMELA – Não disfarce o negócio; não seja vergonhoso.

---

[104] Desprezível.

[105] Sanguixuga tenta falar por finezas poéticas, mas o *topos* da servidão do amor é confundido, por Licas, com a pragmática do serviço de criadagem.

[106] Acanhado, tímido.

LICAS – Está galante história! Que é o que querem de mim?

SANGUIXUGA – O matrimônio.

LICAS – Que matrimônio? Que é isso?

SANGUIXUGA – Faça-se agora de novas!

LICAS – Deixem-me, doidas! Que diabo querem?

SANGUIXUGA e TARAMELA – O matrimônio.

LICAS – Estas mulheres estão loucas; vão-se já; não me persigam. (*Vai-se*).

SANGUIXUGA e TARAMELA – O matrimônio, Senhor embaixador, o matrimônio! *(Vão-se).*

CENA IV

Gabinete. Sai Teseu.

TESEU – Agora acabo de conhecer que é o amor mais valente do que a morte, pois quando por instantes me separa a fúria do Minotauro, vence na minha memória mais a tirania do amor que o imaginado estrago da sua crueldade. Mas ai, soberana Ariadna, quanto sinto que a cruel Parca corte o vital alento da minha vida, pois quisera eternizar a minha fineza apesar da mesma morte!

Sai Fedra.

FEDRA – Invicto e sempre esclarecido Teseu, cujo valor, depois de ser adorado susto do Orbe, passou a dominar as fúrias do Cocito! Comovida a minha piedade de que tão generoso alento seja infeliz despojo dessa fera, intenta salvar a vossa vida.

TESEU – Galharda Fedra, se eu nas infelicidades sou tão venturoso, devo estimar a minha desgraça.

Sai Ariadna ao bastidor.

ARIADNA – Aqui Fedra e Teseu?! Ai de mim, que já o coração começa a temer!

FEDRA – Para triunfardes, pois, desse invencível monstro, dar-vos-ei uma certa confeição[107] composta de tão ativo veneno, que ao mínimo contato do Minotauro fique prostrada a sua fúria, sem que vos possa ofender o seu furor[108].

ARIADNA – Aquela fineza é mais que piedade! Zelos, não vos declareis, que ainda me não convém mostrar-me amante.

TESEU – Que recompensa poderei achar em mim, que possa ser igual à vossa generosidade? Esta vida, Senhora, de cujos alentos sois tutelar divindade, vereis que como milagre do agradecimento a dedicarei nas aras da vossa beleza.

ARIADNA – Ah, falso amante! Não te quisera agradecido!

---

107 Preparado, poção.

108 Esta atitude de Fedra e os seus desdobramentos são um grande acréscimo de Antônio José ao mito grego original.

FEDRA – Não quero outra recompensa mais que vos lembreis de não ser ingrato a quem expõe a sua vida por redimir a vossa. *(Vai-se).*

TESEU – Quem vira este amor em Ariadna, ou a sua beleza em Fedra!

Sai Ariadna.

ARIADNA – Príncipe, como para a isenção da morte não basta só vencer o Minotauro, pois sempre ficareis[109] preso no enleio do Labirinto, e para que com a fuga completeis essa fortuna, quero prevenir o remédio da vossa liberdade.

TESEU – *(À parte)* Ariadna sem dúvida sabe o intento de Fedra. *(A Ariadna)* Senhora, se Fedra, compassiva da minha desgraça...

ARIADNA – Para que me contais o que eu sei?

TESEU – Foi preciso que agradecido...

ARIADNA – Já sei que agradecido vos mostrastes à sua fineza.

TESEU – Porém, Senhora, nunca o meu amor...

ARIADNA – Não tendes que satisfazer-me. Não sabeis quanto me agrada saber que sois agradecido, nem em vossa pessoa cabiam desatenções; e para que também eu o seja na vida que me destes, quero dar-vos a liberdade; para o que atareis na porta do

---

[109] Além da acepção de "em todos os momentos", o advérbio "sempre", em português europeu, pode também significar "afinal" ou "realmente", como é o caso aqui, em que a frase poderia ser dita: "pois afinal ficareis preso no enleio do Labirinto".

labirinto um fio que, sendo farol naquele pélago de confusões, vos conduzirá à liberdade e com ela podereis tornar para Atenas, vossa pátria.

TESEU – Se cuidas que com a liberdade hei-de perder-vos dos meus olhos, nunca sairei do labirinto, que ao menos em Creta não vivo desterrado da vossa vista.

ARIADNA – Pois eu acaso habito no labirinto, para que nele me possais ver?!

TESEU – Se vos não encontrar no Labirinto de Creta, sempre vos acharei no labirinto do amor.

ARIADNA – Muito tendes adiantado o vosso pensamento; não cuideis que como amante vos proponho a indústria do fio para a vossa liberdade; pois só o faço obrigada ao juramento que dei de salvar a vossa vida, agradecida à que me destes.

TESEU – Pois, Ariadna, se o intento de redimir-me é só como agradecida e não como amante, protesto às supremas deidades desse soberano Empíreo que já não quero meios de salvar a vida e a liberdade; pois sem a certeza da vossa correspondência, nem liberdade nem vida quero.

Canta Teseu a seguinte
ÁRIA

Na mágoa que sinto,
no mal que padeço,
a vida aborreço;
que aflito e confuso,
maior labirinto
encontro no amor.

Não temo esse monstro,
que horrível me espera;
só temo essa fera,
cruel tirania
de tanto rigor. *(Vai-se).*

ARIADNA – Espera, Teseu, que, se o meu rigor te precipita, a minha fineza te livrará. *(Vai-se).*

CENA V

Sala régia. Sai El-Rei.

REI – Agora, sim! Respire alegre o meu coração, pois que um príncipe de Atenas é hoje o tributo do Minotauro. Sinta Atenas a pena de talião[110], que, se aleivosamente conspirou contra a vida de meu filho Androgeu, bem é que Creta se arme vingativa contra Teseu.

DENTRO – Peguem nele, peguem nele!

Sai Esfuziote.

ESFUZIOTE – Senhor, Vossa Majestade me valha.

[110] Nota Tavares: "*Pena de talião*: castigo igual à culpa. Expresso admiravelmente no *Velho Testamento*: Êxodo, XXI-24, 25; *Levítico*, XXIV, 20; e principalmente em *Deuteronômio*, XIX, 21: "Não terás misericórdia com ele (o teu inimigo), mas far-lhe-ás pagar vida por vida, olho por olho, dente por dente, mão por mão, pé por pé". Novamente, uma referência cristã, que destoa da narrativa do mito grego.

REI – Que tens? Que te sucedeu e de quem foges?

ESFUZIOTE – Fujo de Vossa Majestade.

REI – Se foges de mim, como vens para mim?

ESFUZIOTE – Porque fujo de Vossa Majestade justiceira, para Vossa Majestade comiserante; fujo da justiça para refugiar-me na misericórdia.

REI – Que te sucedeu?

ESFUZIOTE – Que há-de ser? Deram em dizer que eu era um dos sete pecados mortais, que vinha para o inferno do Labirinto a ser comido do Diabo do Minotauro; e, sem que me valesse o sagrado de palácio, quiseram levar-me à força, *et invito domino*,[111] quando sei que Vossa Majestade não quer que se force ninguém.

REI – Ainda que, segundo o pactuado com Atenas, não deva receber menos número que o de sete mancebos, contudo esta vez quero dispensar na lei para contigo, a instâncias de minha filha Ariadna, a quem hoje deves a vida.

ESFUZIOTE – Não sabe quanto folgo com essa notícia; não por mim, que não temo a morte, por não estar muito contente da minha vida; senão por quebrar a castanha na boca a muita gente[112].

---

[111] Contra a vontade do senhor. Esta fala apresenta uma visão burlesca do discurso religioso, evidente pelos termos "pecados mortais", "inferno" e "Diabo", os quais, mais uma vez, mostram a influência cristã, distoante do mito clássico revisitado.

[112] Gracioso particular na dramaturgia lusa e, quiçá, ibérica, Esfuziote carrega traços pessimistas e arrogantes pouco próprios desta personagem-tipo. "Quebrar castanha à boca da gente" é uma expressão já em desuso, que significaria algo como "tornar-se incômodo".

REI – Porém entendam os atenienses que para o ano hão-de ser oito os do tributo.

ESFUZIOTE – Sim, Senhor, e fará Vossa Majestade muito bem; porém Vossa Majestade, sem esperar para o ano que vem, pode agora mesmo completar o número dos sete.

REI – De que sorte?

ESFUZIOTE – Mandando Vossa Majestade que o embaixador supra esta falta, que, como tem grande cabeça e muita carne no cachaço, terá o monstro que roer.

REI – Os embaixadores pelo direito das gentes gozam de inviolável imunidade.

ESFUZIOTE – Pois, Senhor, em minha consciência acho que só o embaixador era capaz de desempenhar aquele lugar, que, pelo seu bom modo, até com a morte havia de ter bons termos.

REI – E tu, se não quiseres ir para Atenas, poderás ficar em Creta, servindo-me em palácio.

ESFUZIOTE – Aceito o favor de Vossa Majestade; e, já que em palácio fico, tomara ter algum emprego que cá se me casasse com o gênio; que, quando a ocupação é forçada, até o palácio é galé.

REI – Elege tu a ocupação que queres, igual à tua esfera.

ESFUZIOTE – Como sou respondão, quisera ser reposteiro[113].

---

[113] O jogo de palavras, aqui, tem a ver com o antigo substantivo *reposta*, que deu origem ao atual "resposta".

Tocam caixas destemperadas.

REI – Mas que triste e confuso som rompe a vaga raridade dos ventos!

ESFUZIOTE – É um moço que está aprendendo a tambor.

Saem Lidoro e Tebandro.

REI – Lidoro e Tebandro, que é isto?

LIDORO – *É* chegada a ocasião de ser o príncipe Teseu conduzido ao Labirinto.

TEBANDRO – E certamente que o príncipe não é merecedor de semelhante infortúnio.

REI – Não vos compadeçais de Teseu, que ao fim é ateniense.

ESFUZIOTE – Ai, pobre Teseu, tomaras tu ser Esfuziote nesta hora[114].

Sai Fedra.

FEDRA – *(À parte)* Como a Teseu já entreguei o remédio da sua vida, não quero perder os instantes de vê-lo.

---

[114] Jogo com o nome do gracioso, que pode significar, entre outras acepções, "apressadamente" ou "de corrida".

Sai Ariadna.

ARIADNA – Como Teseu já tem o fio com o qual se há de livrar do Labirinto, venho sem susto notar a aflição do seu sentimento.

Sai Licas e da porta diz o que se segue:

LICAS – Entre só Teseu, e fiquem os mais esperando até a última resolução de El-Rei.

REI – Estão prontos esses infelizes, para serem conduzidos ao Labirinto?

LICAS – Sim, Senhor, que nunca foi remissa a nossa obediência.

Sai Teseu.

TESEU – Sinto, ó ínclito[115] Rei Minos de Creta, que esta ação, que parece precisa lei do tributo, não seja voluntário feudo do meu afeto, para que mais do que a morte na vida, tenha império a vontade na obediência.

ESFUZIOTE – *(À parte)* Aquilo é fazer da necessidade virtude.

REI – Sempre os atenienses foram mais loquazes que fiéis. Teseu, o sangue de Androgeu em purpúreas línguas está pedindo vingança contra as vossas aleivosias; e assim, não espereis remédio na vossa desgraça.

---

[115] Ilustre, célebre.

LIDORO – Senhor, Vossa Majestade se compadeça de Teseu, que ao fim o alenta o régio esplendor de Príncipe.

TEBANDRO – Adverte, Senhor, que é indigna da Majestade a tirania; e assim perdoa a Teseu.

REI – Aqui não obro como rei, senão como juiz[116].

ESFUZIOTE – *(À parte)* Eu bem sei que, se pedisse a El-Rei por Teseu, que o havia de perdoar, mas não quero dar-lhe essa confiança.

FEDRA – *(À parte)* Ainda sendo fingida aquela humildade em Teseu, é em mim verdadeiro o pesar.

ARIADNA – *(À parte)* Parece realidade o seu fingimento.

LICAS – Rei e Senhor, se o motivo desse implacável rigor é o esparzido sangue de Androgeu, vede que o não ressuscitais com a morte de Teseu; e mais quando a clemência nos príncipes é atributo inseparável da sua grandeza. Perdoa, Senhor, a Teseu, que também o perdão é um generoso modo de castigar.

REI – Inútil é o vosso requerimento.

TESEU – É definitiva essa sentença?

REI – E não há mais para onde apelar. Olá! Levai a Teseu e a esses míseros companheiros ao Labirinto para serem despojos do Minotauro.

LICAS – Pois sabe, tirano Rei, que Atenas tomará cruel vingança da tua crueldade; reduzindo Creta à última ruína. *(Vai-se)*.

---

[116] Nova referência à posterior função de Minos no Mundo Inferior como Juiz dos Mortos.

REI – A mim com ameaços! Se não foras embaixador, pagarias com a vida esse atrevimento.

ESFUZIOTE – *(À parte)* Era bem feito que El-Rei o mandasse esquartejar!

LIDORO – O Embaixador falou com insolência.

TEBANDRO – Sinto, Senhor, ver ultrajado o teu respeito.

REI – Por isso mesmo será Teseu conduzido ao Labirinto, para o Minotauro o devorar.

TESEU – Não cuides, tirano monarca, que hás-de ultrajar o meu decoro, por me considerares reduzido a esta miséria, pois em qualquer estado sempre sou Teseu, que saberei vingar a minha injúria!

REI – Não sabes que és meu prisioneiro? Pois como me tratas com tanta soberba, sabendo que te posso castigar?

TESEU – E não sabes que no meu braço consiste a tua ruína e a minha felicidade?

ESFUZIOTE – *(À parte)* Mau, mau! Isto me vai cheirando a carolo[117]! Queira Júpiter que Teseu não faça das suas!

ARIADNA – *(À parte)* Temo que Teseu padeça maior infortúnio.

FEDRA – *(À parte)* Ai de mim, que Teseu quer desvanecer o remédio de sua vida!

LIDORO – Se até aqui me compadeci de vós, agora recrimino a vossa soberba.

---

[117] Pancada na cabeça, tomada por descuido (bater a cabeça em algo) ou intencionalmente (recebida de outrem).

TEBANDRO – A não estares tão perto da morte, eu despicaria[118] a desatenção da Majestade.

REI – Basta que o Minotauro me vingue; levai-o. *(Vai-se).*

ESFUZIOTE – Eu também me vou, antes que me levem por erro! *(Vai-se).*

TESEU – Ai, Ariadna, que por ti reprimo o furor de meu peito! *(À parte).*

Canta Teseu o *seguinte recitado e depois cantam as duas damas e os dois príncipes com Teseu a ária*

RECITADO

Bárbaro Rei, eu vou ao Labirinto,
mas sabe que não sinto
essa tirana morte que me espera;
que, a ser possível, descerei à esfera
desse sulfúreo e rápido Cocito
e do trifauce[119] monstro a fúria incito,
por que vejam que nada me intimida
perder a cara vida.
De outro monstro (ai, amor!) só temo a ira,
que tirano conspira
um veneno tão forte,
que ainda por favor concede a morte;
pois com doce influência
faz seja simpatia o que é violência.
Este monstro de amor, esta quimera
me horroriza, me assusta e desespera.

---

[118] Vingar, desforrar.

[119] Que tem três bocas.

ÁRIA A CINCO

TESEU – Não me acovarda a morte,
porque é vida
este modo de morrer.
LIDORO – Como intentas dessa sorte
sem respeito
um decoro assim perder?
FEDRA e ARIADNA – Que ardor ativo e forte
em meu peito
chega amor hoje a in-
cender!
TEBANDRO – Se nem da Parca o golpe
te intimida,
nada deves de temer.
TESEU – A morte não temo.
LIDORO e TEBANDRO – A morte não temes?
TESEU – Não, porque é vida
este modo de morrer.
FEDRA e ARIADNA – A vida desprezas?
TESEU – Sim, porque é vida
este modo de morrer.
TODOS – Que morte ditosa! Que doce morrer!
TEBANDRO – Seu peito arrogante
LIDORO – No brio, que ostenta,
FEDRA – Se a morte o alenta,
ARIADNA – Se vive na morte,
TESEU – Quem morre de amante,
TODOS – Eterno há-de ser.

FIM DA PARTE I

PARTE II

CENA I

Câmera. Saem Sanguixuga e Taramela.

SANGUIXUGA – Taramela, vai-te ensaiando para princesa; toma bem a lição; aprende de Ariadna a severidade, e de Fedra o carinho, que temperar a aspereza com afagos é a verdadeira máxima do reinar.

TARAMELA – Bofé[120], tia, que me não cansarei com isso; porque, sendo princesa, quer seja azeda, quer doce, assim me hão-de tragar; porém, se tal for, que dirão de mim os murmuradores? "Olhem a ranhosa! Há dois dias michela, e hoje senhora de mão beijada!"[121].

SANGUIXUGA – E logo te hão-de descoser a geração; e ao som do vilão também eu hei-de vir à baila, pois não faltará quem diga: "Que seja possível que a sobrinha de uma cristaleira[122] nos fale já por vidraças! Ontem em chichelos, e hoje em berlinda[123]!"

---

[120] Contração de "em-boa-fé", o mesmo que "em verdade" ou "francamente".

[121] As duas falas que Taramela coloca na boca dos murmuradores dizem respeito a expressões da época para aqueles de baixa condição que ascendem muito rapidamente de posição social. "Michela", mais especificamente, também é sinônimo de "meretriz".

[122] Jogo de palavras entre "cristaleira" e "cristeleira", palavra derivada de "cristel" ou "clister", ou seja, a mulher que antigamente andava pelas casas a aplicar clisteres aos doentes. Clister é uma lavagem intestinal realizada através do ânus.

[123] Além da acepção mais comum hoje em dia, que é a de ser alvo de comentários, "berlinda" também pode ser um coche pequeno de quatro rodas, suspenso entre dois varais. Já "chichelos" são sapatos velhos estragados, usados

TARAMELA – Olhe, tia, por amor desses raios, não quero tronos.

SANGUIXUGA – Ai, filha, não se te dê disso[124], que também os reis tem costas! Tomara eu casar com o embaixador, porque, sendo eu embaixatriz, direi ao mar que ronque e ao rio que murmure.

Saem ao bastidor, cada uma pela sua parte, Ariadna e Fedra, e cada uma com uma banda[125] na mão.

ARIADNA – Amor me descubra meios para o meu intento. Mas ali estão Taramela e Sanguixuga; tomara que me não vissem, por me não observarem os passos.

FEDRA – Que importuno encontro! Sanguixuga e Taramela, se me veem com a banda que levo, poderão penetrar o meu desígnio. Esperarei que se vão.

SANGUIXUGA – E que dizes tu, cuidarem todos em palácio que o príncipe Teseu é morto, não o sendo? E na verdade que, quando às vezes ouço falar na morte de Teseu, não posso suster o riso.

TARAMELA – A indústria todavia não foi má.

ARIADNA – Ai de mim, que já se sabe que Teseu é vivo!

FEDRA – Ai, infeliz, que, sabendo-se já que Teseu não é morto, algum dano experimentarei!

---

ao estilo de tamancos, pisando-se o contraforte. Ou seja, o murmurador falará de Sanguixuga que ela antes andava a pé, mas agora vai de carro.

124 O mesmo que "não te importes com isso".

125 Fita larga.

TARAMELA – Porém não nos dilatemos mais, que as infantas podem procurar por nós.

SANGUIXUGA – Pois, rapariga, não te descuides de bater o mato[126]; tu bem me entendes.

Vai-se Sanguixuga pela parte donde está Fedra, e esta a segue, depois que disser o seguinte:

FEDRA – Vou a declarar-me com Sanguixuga, para que me guarde segredo. *(Vai-se).*

Sai Ariadna.

ARIADNA – Já que Taramela sabe que Teseu está vivo, não há mais remédio que fazer do ladrão fiel[127].

TARAMELA – *(À parte)* Que terá Ariadna estes dias, que anda suspensa?

ARIADNA – Taramela, como sei o muito que me amas, quero fiar de ti um particular de meu peito, pois só tu podes remediar o meu mal.

TARAMELA – Esse conceito merece a lealdade com que te sirvo.

ARIADNA – Desde que vi a Teseu, infeliz príncipe de Atenas, comunicando-me Amor pela vista o seu veneno, foi fácil me cegasse o seu precipício; e assim, como amante, preveni indústrias que o pudessem livrar do Minotauro.

TARAMELA – *(À parte)* Quero fazer-me ignorante do caso.

---

126 Andar à procura de alguém ou de alguma coisa.

127 Isto é, confiar naquele de quem se suspeita.

ARIADNA – E como El-Rei, vanglorioso de ver vingado o sangue de Androgeu, meu irmão, com a morte de Teseu, para ostentação de seu desafogo tem preparado hoje um sarau, em que havemos de dançar com os príncipes, para o que quero que também Teseu venha a palácio, pois com o disfarce da máscara não poderá ser conhecido; e, para que só eu o conheça, dar-lhe-ás esta banda azul para divisa. *(Dá-lhe a banda).*

TARAMELA – *(À parte)* Ah, tiranos zelos, que me deixais com a alma a uma banda[128]!

ARIADNA – E como tu, pela continuação que tens em ir ao Labirinto comigo, já sabes os caminhos, vai-te ao centro dele e leva a banda a Teseu, para que venha ao sarau esta noite, e saberei agradecer-te, como merece a tua lealdade. *(Vai-se).*

TARAMELA – Haverá no mundo mulher mais desgraçada! Quando eu cuidei que só sabia que Teseu era vivo, também Ariadna o não ignora; e de mais a mais namorada dele! Ai, como temo que me tire a fortuna! E, sobretudo, fazer-me alcoviteira do meu mesmo amante! Que farei neste caso? Se não levo o recado e a banda, encontro as iras de Ariadna; e, se a levo, atiço mais o seu amor! Não sei de que banda me vire. Eu bem pudera com a raiva dos zelos romper a banda em fanicos[129]! Mas não quero senão cara a cara dar-lhe com a sua falsidade nos narizes.

---

[128] Jogo de palavras entre as acepções de "banda" como "faixa" e "lado". Novamente é usado o mesmo jogo de palavras no solilóquio de Taramela.

[129] Migalhas.

Saem Fedra, com uma banda branca na mão, e Sanguixuga.

SANGUIXUGA – Vai-te daqui, Taramela, que ao depois temos muito que falar.

TARAMELA – Também eu! *(À parte)* Vou uma víbora! *(Vai-se).*

FEDRA – Como tenho dito, libertei a Teseu da morte; e para que venha ao sarau esta noite, leva-lhe esta banda branca *(dá-lhe a banda)*, para que saiba que é o alvo de minhas finezas, e por esta divisa o possa conhecer. Bem vês que te constituo secretária de meu peito; espero que não desmereças o conceito que faço da tua prudência. *(À parte)* Já que o sabe, ao menos tenha preceito para o não dizer. *(Vai-se).*

SANGUIXUGA – E para dizer-me uma coisa que eu já sabia, esteve fazendo mil escarcéus, tomando-me duzentos juramentos. Porém, que farei eu agora desta banda, pois, se a levo a Teseu, dou armas contra minha sobrinha Taramela? Ai! Não permita Deus que eu seja traidora ao meu sangue, que primeiro estão parentes do que dentes.

Sai Tebandro.

TEBANDRO – Sanguixuga, não me dirás por que motivo despreza Fedra tão repetidos extremos do meu amor? Porventura não sei amar não só as perfeições, mas ainda os seus rigores? Desengana-me já se aquele desdém inventa a sua tirania, para apurar a minha fineza, ou para desenganar a minha constância.

SANGUIXUGA – Senhor Tebandro, não sabe que uma futura noiva sempre afeta repúdios, desdenha carinhos, inculca crueldades e atropela finezas, e no cabo está desejando que já chegue a hora de se ver nos braços de seu esposo?

TEBANDRO – Aquele desdém não pode ser aparente; e se me não dás outra certeza de seu amor, irei sentir os seus desvios em Chipre, para que lá só sinta a memória, e não aqui todas as potências.

SANGUIXUGA – Que me dará Vossa Alteza, se lhe der uma certeza do seu amor? Mas eu não sou interesseira! *(À parte)* Agora matarei com um cajado dois coelhos...

TEBANDRO – Não faças ludíbrio de um desgraçado.

SANGUIXUGA – É tão verdadeiro o amor de Fedra, que te envia esta banda, para que entre os máscaras te possa conhecer à noite no sarau. *(Dá-lhe a banda).*

TEBANDRO – Que dizes? Eu mereço os agrados de Fedra?

SANGUIXUGA – Sabe Deus o que me tem custado pô-la em termos de dar a conhecer a sua inclinação! Mas Vossa Alteza tudo merece.

TEBANDRO – Aceita por ora esta joia, como princípio do meu agradecimento[130].

---

[130] Motivo recorrente de comicidade, as joias ofertadas aos criados já foram vistas em *Os encantos de Medeia*, em que o gracioso Sacatrapo ganha dois anéis do Rei Etas.

SANGUIXUGA – Dádivas de príncipe não se rejeitam. *(À parte)* Ora já tenho prenda que dar ao embaixador, quando casarmos; porém Fedra enganada, e o príncipe desvanecido tudo é um. *(Sai).*

TEBANDRO – Ainda não posso acreditar a minha ventura, pois quando a teia ardente do himeneu já quase se extinguia aos assopros de um desengano, vejo que torna a incender-se com os alentos de um suspiro. Oh, ditoso eu, que depois dos pesares alcanço prazeres!

Canta Tebandro a seguinte
ÁRIA

O navegante
que, combatido
de uma tormenta,
logo experimenta
quieto o vento,
tranquilo o mar,

como eu, nem tanto
se alegra, vendo
que vai crescendo
minha ventura,
e vai cessando
de meu gemido
o suspirar.

CENA II

Labirinto. Sai Teseu.

TESEU – Esta é a última estância deste intrincado Labirinto aonde Dédalo fixou a meta a seus artifícios. Atarei o fio de Ariadna a esta coluna, para que me sirva de norte no pélago de tanto enleio[131]. Que admirável edifício! Que variedade de arquiteturas! Que pórticos! Que mármores! Que colunas![132] Aqui toda a confusão alegra, e toda a alegria se confunde; pois, equívoco o horror e a beleza, horroriza o belo e deleita o horror, que neste quadro de luzes e sombras brilham as sombras e assombram as luzes. Porém Dédalo, que ficou de esperar por mim neste lugar, sem dúvida, arrependido da palavra, se quis aproveitar da mina que abriu.

Sai Dédalo da escotilha, que estará na boca do teatro[133].

DÉDALO – Teseu, Dédalo não falta ao que promete, pois escondido te esperava na boca desta mina, que vai dar às ribeiras do mar, de donde me viste sair, quando te encontrei.[134]

[131] "Pélago" designa um abismo ou mar alto, um lugar onde se parece perdido, enquanto "enleio" significa "embaraço".

[132] Neste trecho, a sequência de exclamações denota uma interação entre fala e cenário, no que González (1997) chama de *texto espetacular*.

[133] Rara é a referência, em textos desta época, de elementos puramente materiais do espaço teatral. Também nas didascálias e demais paratextos teatrais, é corrente manter a ilusão narrativa.

[134] Aqui ocorre uma explicação "topográfica", no que será importante para determinar as ações de fuga posteriores da ação dramática.

TESEU – Vem a meus braços, fiel amigo, e releva-me o errado conceito que de ti formei; mas quisera saber como, estando eu no centro do Labirinto, não encontro ao Minotauro.

DÉDALO – Ainda o não soltariam talvez, porque o tal monstro vive encerrado em um funesto cárcere; e, quando há vítima humana da sua tirania, o soltam, para que, enfurecido, venha por dirigido conduto a este lugar, que é o campo da batalha do seu furor.

TESEU – Desejo que já esse monstro feroz venha a acometer-me, que, apesar da sua voracidade, me verás triunfador.

DÉDALO – Eu estou pronto para ajudar-te nesta empresa; e vê se queres que discorramos em alguma industriosa máquina para o venceres, sem que perigue a tua vida.

TESEU – Se eu o quisera vencer a meu salvo, remédio trago comigo, administrado por uma deidade, com o qual seguramente posso triunfar desse monstro; mas não intento valer-me de extraordinários remédios, quando no meu braço tenho a defesa da minha vida.

DÉDALO – Ai, quanto temo que esta temeridade seja a causa de tua ruína!

TESEU – Não temas, que sempre a fortuna foi companheira da temeridade.

Esfuziote dentro diz o seguinte:

ESFUZIOTE – Em boa estou metido! Ai, que não atino com a porta! Vamos por aqui. Pior! Vamos por ali! Repior[135]! Ai, mísero Esfuziote que estás quando nada metido nas profundas do Labirinto, e a cada passo me parece que encontro o Minotauro!

TESEU – Ali cuido que disseram Minotauro.

DÉDALO – E passos também ouvi! Sem dúvida já o soltariam. Teseu, outra vez te requeiro te não exponhas a tão evidente perigo; e, se para o vencer, tens o favor dessa deidade, já que te não queres valer do meu, não pereças como temerário; guarda o teu valor para mais heroica façanha.

TESEU – Mais val[136] morrer valente, que viver cobarde! Retira-te tu, que eu com súbito furor, sem mais armas que os meus braços, vencerei essa fera.

Sai Esfuziote.

ESFUZIOTE – Vamos por aqui, saia o que sair.

Esconde-se Dédalo. Põe-se Teseu atrás do bastidor, por onde sairá Esfuziote com a cara para o povo; e ao sair Teseu o investe repentinamente e luta com ele.

---

[135] Neologismo cômico, significando "muito pior". Segundo Tavares, na sua edição publicada pela Sá da Costa (1945), faz lembrar o "renão" e o "re-si" empregados por Gil Vicente.

[136] O mesmo que "vale".

TESEU – Morrerás, ó monstro, despedaçado em meus braços.

ESFUZIOTE – Ai de mim, que caí nas garras do Minotauro! Quem me acode?

TESEU – Este é Esfuziote! *(À parte)* Ora mui eficaz é uma fantasia!

ESFUZIOTE – Ai de mim, que me meteu a garra em cheio pelo vazio! Eu me sinto molhado; não sei se é sangue, suor ou outra coisa mais inferior...

Larga Teseu a Esfuziote, e este estará com as mãos no rosto.

TESEU – Esfuziote, não te assustes.

ESFUZIOTE – Ai, que o Minotauro já me sabe o nome[137]!

TESEU – Não me respondes? Olha para mim.

ESFUZIOTE – De burro que eu tal olhe[138], quando nem pintado o quero ver!

TESEU – Que tens, que ficaste imóvel?

ESFUZIOTE – Eu bem sei o que tenho. *(À parte)* Só a voz que ele tem me faz amedrentar.

TESEU – Deixa loucuras! Dize-me: quem te trouxe ao Labirinto?

---

137 Esta e a fala seguinte, embora não marcadas como *apartes*, o parecem ser pelas réplicas de Teseu.

138 "Não sou burro de olhar".

ESFUZIOTE – Os meus pecados veniais, que agora são mortais[139].

TESEU – Fala; se não, te despedaço aqui.

ESFUZIOTE – Senhor, vossa monstruosidade não me faça perguntas, que estou com a língua pegada ao céu da boca; deixe-me ir embora em cortesia, antes que o medo destempere em alguma descortesia; pois não é razão que, depois de comer um príncipe, queira encher o seu bandulho com a carne dura e magra pelhancra[140] de um lacaio.

TESEU – Quem cuidas tu que sou eu?

ESFUZIOTE – Eu bem o sei!

TESEU – Pois sabe que não sou quem tu cuidas.

ESFUZIOTE – Pois quem é? Quem é?

TESEU – Olha e verás.

ESFUZIOTE – Senhor medo, com licença; deixe-me abrir piscamente os olhos. (*Tira a mão dos olhos)* À que de El-Rei, que é a alma de Teseu! Ai, que estou feito um tremedário[141]!

TESEU – Néscio, que alaridos são esses?

ESFUZIOTE – Fantasma, quimera, sombra, ilusão, coco e papão, que é o que me queres?

TESEU – Olha que sou Teseu.

---

[139] Esfuziote é o criado mais devoto da dramaturgia de Antônio José da Silva, quer fazendo troça ou apelando sinceramente à religião.

[140] "Bandulho" é a barriga ou as tripas. Já "pelhancra" é corruptela de "pelhanca" ou "pelanca", ou seja, "pele mole e caída".

[141] Máquina de tremer. Nesta fala, lembramos que Esfuziote não compartilha dos planos de seu patrão, situação rara na relação patrão-empregado e aqui só possível graças ao efeito cômico que produz nesta cena.

ESFUZIOTE – *Tanto fortius*![142] Não te chegues a mim, alma vadia, errante e vagabunda!

TESEU – Vem cá; não fujas.

Sai Dédalo.

DÉDALO – Esfuziote, eu aqui estou também; não cuides que Teseu morreu.

TESEU – Graças aos deuses, que ainda estou vivo!

ESFUZIOTE – Eu bem sei que as almas nunca morrem.

TESEU – Basta que cuidaste que eu era morto! Certamente que o teu medo te alucinou.

ESFUZIOTE – Eu, Senhor, vendo que te chegavas para mim, que havia supor senão que eras coisa má, porque coisa boa nunca para mim se chegou?

TESEU – Como te atreveste a penetrar até o centro do Labirinto? Não cuidei que tinhas valor para tanto.

ESFUZIOTE – Se eu fora lisonjeiro, bem te podia dizer que quis vir acompanhar-te nas tuas penas, para ajudar-te a matar o Minotauro; porém, Senhor, a minha fraqueza é tal, que me não pode deixar mentir; e foi o caso: Depois que te trouxeram para o Labirinto, como o boi solto lambe-se todo, não me pesou o pé uma onça[143]; e, como tal, de um pulo entrei por uma porta, saí pela outra, andei, desandei, corri, descorri para dentro, para fora, daqui para ali, até que dei contigo neste lugar, neste Labirinto, neste diabo, que bem

---

142 "Tanto pior!"

143 O mesmo que "não me incomodei".

escusado era que o Senhor Dédalo fabricasse estes enredos; mas por donde cada um peca, por aí paga[144].

DÉDALO – Já por meu mal me não posso eximir dessa censura.

TESEU – Ainda te não sei encarecer a artificiosa máquina deste portento!

ESFUZIOTE – Também o filho da puta que tal fez merecia as mãos cortadas[145]!

TESEU – E que novas me dás de Ariadna? Sente muito a minha ausência?

ESFUZIOTE – Muito, e com tanto extremo, que esta noite fazem um sarau por exéquias da tua morte.

TESEU – Cruel é a sua condição! Pois não te falou em mim?

ESFUZIOTE – Nem falar nisso é bom, e mais agora que anda um rum-rum em palácio: que Lidoro casa com Ariadna.

TESEU – Ai, infeliz, que, se eu hei-de ter vida para ver a Ariadna em poder de Lidoro, não resistirei ao Minotauro; que antes quero que a sua fúria me devore do que os zelos me despedacem!

ESFUZIOTE – Pois ainda o Minotauro está vivo?!

TESEU – Ainda; e do seu furor me não hei-de eximir.

ESFUZIOTE – Bem aviados estamos! O Minotau-

---

144 Sabedoria popular acerca da religião e da expiação das culpas.

145 Esta fala, provavelmente, chega ao mais baixo nível da linguagem que pode se encontrar nos textos de Antônio José da Silva. Perceba-se que, na extensa fala anterior de Esfuziote, deve haver um *crescendo* de irritação, para chegar a este ponto de maledicência.

ro vivo, e eu aqui! Pois com licença, que eu me não quero minotaurear[146] agora, nem esperar pela morte aqui a pé quedo; pois eu cuidava que estavas vivo por teres morto ao Minotauro.

TESEU – Aonde hás-de ir, que o podes encontrar? Não te acobardes estando comigo.

ESFUZIOTE – Porventura Vossa Alteza é alguma coura de anta[147], ou saia de malha, que me faça impenetrável aos dentes minotaurinos? E, quando assim seja, se quisermos furtar-lhe a volta e fugir, como nos havemos escafeder daqui fora, se em cada passo encontramos mil barafundas e circunlóquios[148]?

DÉDALO – Mais fácil será matar ao Minotauro, que atinar com os caminhos intrincados do Labirinto.

TESEU – De um e outro me verás vitorioso.

ESFUZIOTE – A mim também não me cheira.

TESEU – Para que o saibas, atende.

Canta Teseu a seguinte ária e
RECITADO

Nunca piedoso o Céu a um desgraçado
negou favores de um ditoso auspício,
pois com antecipadas influências,
antídotos preveniu a meus pesares,
dando-me Fedra a indústria peregrina
do triunfo do horrendo Minotauro,

---

[146] Neologismo cômico: transformar-se em Minotauro.

[147] Gibão de couro de anta sem mangas.

[148] Barafunda: confusão. Circunlóquio: rodeio de palavras.

quando Ariadna com sutil ideia
o fio me administra,
que tecido farol nestes horrores
me guia o passo em tanto Labirinto.
Mas ai, bela Ariadna!
Se piedosa me dás a liberdade,
inúteis considero os teus favores;
porque em tanta aspereza,
mais cativo me tem essa beleza.

ÁRIA

Vem, ó monstro, a lacerar-me;
vem, cruel, a devorar-me;
porém não ofendas
com fúria inumana
a bela Ariadna,
que dentro em meu peito
se ostenta feliz.

Se morto me vires,
só quero que entendas
que tu me não matas;
Amor, isso sim.

ESFUZIOTE – Ainda que mo diga cantando ou chorando, eu vou-me, que não quero estar aqui um minuto por amor do Minotauro. *(Vai andando).*

Ao ir-se Esfuziote, sai o Minotauro e o atropela, e luta com Teseu.

ESFUZIOTE – Mas ai, que ele é comigo! Senhor Minotauro, olhe que eu não sou dos sete do tributo. Ai, ai, ai!

TESEU – Ó tu, vivo sepulcro de atenienses, hoje pagarás com a vida os males que tens causado.

DÉDALO – Aqui me tens em tua defensa.

TESEU – Retira-te, Dédalo, que eu só domarei o furor deste monstro.

ESFUZIOTE – Isso, isso! Com ele, e não comigo.

TESEU – Por mais que empenhes a tua fúria, hei-de triunfar de tua crueldade, apertando-te em meus braços, até que exales o alento.

Cai o Minotauro na mina com bramidos[149].

DÉDALO – Ó sempre esclarecido Teseu, agora vejo que ainda o teu valor é maior que a tua fama.

ESFUZIOTE – Oh, sempre tremebundo[150] Esfuziote! Agora vejo que o teu pavor ainda é maior que o Minotauro.

TESEU – Releva-me, Fedra, desprezar para a morte do Minotauro o piedoso remédio que me

---

[149] A aparição do Minotauro e a luta levam apenas o tempo destas seis réplicas, em que se percebe o heroísmo de Teseu, a assistência de Dédalo e o jocoso das falas de Esfuziote, paralelo à ação cênica. Como as demais maravilhas presentes nas peças de Antônio José da Silva, o Minotauro é um acontecimento que passa pela cena, sendo que a trama fixa-se na intriga amorosa, e não no espetacular.

[150] Que faz tremer, assustador. Aqui, utilizado em sentido paródico, bem como o sentido geral da fala do criado, em contraposição com o elogio feito por Dédalo a Teseu.

administraste; que seria injúria do meu valor buscar fora de mim indústrias para vencer; porém sempre no meu agradecimento fica recompensada a tua generosidade[151].

ESFUZIOTE – Diga-me, Senhor: dar-se-á caso que a bichinha não ficasse bem morta e que possa ressurgir daquela buraca?

TESEU – Com tal vigor o apertei em meus braços, que neles expeliu o seu vital alento.

ESFUZIOTE – Quem me dera ter um abraço desses para dar ao meu amigo embaixador!

TESEU – Esfuziote, já que os astros te destinaram para companheiro de meus infortúnios, quero valer-me de ti para outra empresa maior que a do Minotauro.

ESFUZIOTE – Senhor, se eu não pude com a menor, como hei-de poder com a maior?

TESEU – Para comunicar-me com Ariadna, parece que Amor te conduziu a este Labirinto. *(Ruído).*

DÉDALO – Pisadas ouço; parece que vem gente.

ESFUZIOTE – Senhor, não será lícito que te vejam, pois todos te julgam morto.

TESEU – Dizes bem! Dédalo, aonde nos esconderemos?

DÉDALO – No côncavo desta diáfana coluna há um pequeno e limitado gabinete, donde muito apenas cabem duas pessoas, no qual nos poderemos esconder.

[151] A fala, ao mesmo tempo em que deixa em suspenso uma possível relação entre Teseu e Fedra, também elimina a possibilidade quando Teseu rejeita a utilização do "remédio" para vencer o Minotauro.

TESEU – Pois vamos depressa, que o rumor já vem perto.

ESFUZIOTE – Escondam-se, cobardes, que eu, só, resistirei aos Minotauros.

Escondem-se Dédalo e Teseu atrás da coluna que há no meio do Labirinto, e sai Taramela com uma banda azul na mão.

TARAMELA – Quero obedecer a Ariadna, só para investigar os meus zelos; mas, entre tanto enleio, aonde acharei a Teseu?

ESFUZIOTE – Ai que é Taramela em carne, que me vem buscar em osso de correr! E sem dúvida que a indústria de fazer-me príncipe a tem feito andar numa dobadoura[152].

TARAMELA – Mas ele aí está. Ah, fementido[153] príncipe! Já vejo que é certa a tua falsidade.

ESFUZIOTE – Taramela, já sei que o labirinto da tua saudade te trouxe por teu pé a este, aonde por ti duas vezes me considero perdido.

TARAMELA – Para que é lisonjeiro? Logo me pareceu que o seu amor era fingido. Se adora a Ariadna, para que me engana? E, se ela o busca, para que me persegue?

TESEU – *(À parte)* Que é o que ouço?

---

[152] "Dobadoura" é um aparelho giratório em que se enfia a meada que se quer dobar, que é o mesmo que fazer novelos. Assim, "a tem feito andar numa dobadoura" tem sentido de "que a tem enrolado" ou algo similar.

[153] Falso.

ESFUZIOTE – Menina, isso são tramoias de tua tia, por ver se nelas escorrega o arlequim[154] de meu amor.

TARAMELA – Ainda se atreve a negar que adora a Ariadna?

ESFUZIOTE – Eu, a Ariadna?! Apelo eu! É mulher que nunca me caiu em graça.

TARAMELA – Sim, que Ariadna havia de fazer excesso por quem a não requestasse[155] primeiro muito bem.

ESFUZIOTE – Se ela para querer-me achou motivos na minha gentil-homeza[156], que culpa tenho eu?

TESEU – *(À parte)* Que enigma será este, de Esfuziote com esta moça?

TARAMELA – Bem sei que ela é uma princesa, e eu uma criada; mas tenho a consolação que eu o não roguei para que me quisesse.

ESFUZIOTE – Taramela, não venhas a arengar[157]: tanto se me dá a mim de Ariadnas, como da lama da rua. Tu cuidas que eu faço caso de princesas? É engano, pois mais me regala uma fregona desenxovalhada, que os melindres e filetarias[158] de uma princesa.

---

[154] Mais do que uma metáfora (burlesca, pelo anacronismo) aos *lazzi* arlequinescos, famosos solos cômicos desta personagem-tipo da *Commedia dell'Arte*, a referência a arlequim (note-se que substantivado, e não mais nome próprio) denota conhecimento do autor acerca da arte italiana, o que reforça o pensamento de Teófilo Braga, que, dentre outros, sugere que os "imbróglios" dos textos judeínos decorrem de contato com a *Commedia dell'Arte*.

[155] Verbo em desuso, "requestar" pode ter a acepção de "pedir com insistência", bem como de "galantear" ou "namorar", no sentido setecentista do termo.

[156] Neologismo cômico surgido a partir da palavra "gentil-homem", que, por sua vez, era um título de nobreza feudal.

[157] "Dizer coisas chatas".

[158] *Fregona* é uma palavra castelhana para "criada. "Filetarias" são "enfeites".

TARAMELA – Nada disso me entra cá, pois eu conheço o gênio de Ariadna e sei que, sem a requestar, lhe não havia mandar esta banda, para com ela ir ao sarau que se faz em palácio esta noite. *(Dá a banda).*

TESEU – *(À parte)* Tomara já saber que banda será esta de Ariadna!

ESFUZIOTE – Pois Ariadna manda-me esta banda?! Dar-se-á caso que me namore, sem eu o saber?

TARAMELA – Não se faça de novas; e para que veja que a mim me não engana, vá; vá ao sarau, case com Ariadna, que eu me vingarei em pedir justiça ao Céu contra um falso enganador. Justiça! Justiça! *(Vai-se).*

ESFUZIOTE – Espera, Taramela; não feches a porta à minha inocência.

Saem Teseu e Dédalo.

TESEU – Larga essa banda, insolente.

ESFUZIOTE – Por todas as bandas[159] me vejo combatido; aí está a banda. *(Dá a banda).*

TESEU – Que dizia de Ariadna essa mulher?

ESFUZIOTE – Foi galante caso! Suponho que entendeu que eu era Teseu pelo circunspecto da minha personagem, e da parte da Senhora Ariadna deu-me esta banda, para que com ela fosse ao sarau que se faz esta noite em palácio.

---

[159] "Por todos os lados". Note-se a repetição do trocadilho, já usado como elemento cômico anteriormente.

TESEU – Assim será: porém, se cuidava que tu eras Teseu, como te dava ciúmes e indignada contra ti foi pedindo justiça?

ESFUZIOTE – Isso mesmo estava eu para te perguntar agora. Dar-se-á caso, Senhor, que Vossa Alteza algum dia bichancreasse[160] esta criada?

TESEU – Estás louco? Mas tu para que lhe davas satisfações?

ESFUZIOTE – Porque, entendendo que Vossa Alteza tinha tinha[161] de amor com esta rabugenta criada, não quis deixasse de comer por mal cozinhado; e assim lhe fui respondendo a troxe-moxe[162].

TESEU – Não te quero apurar mais por ora; e, pois esta é a primeira fortuna que amor me facilita, vamos, Dédalo, a procurar máscara, que quero ir ao sarau, que com ela de ninguém serei conhecido, e só de Ariadna pela divisa desta banda.

ESFUZIOTE – Giribanda[163] me parece isto! Oh, queira Júpiter que nessa dança não haja algum contratempo da fortuna!

TESEU – Vamos; não nos dilatemos.

DÉDALO – Sempre ficarei temendo não se te quebre o fio, e te percas no Labirinto.

TESEU – Quem com favores me alenta também com cautelas me defende desse cuidado. *(Vai-se).*

---

[160] De acordo com Tavares (1945), a palavra quer dizer "namorar".

[161] Note-se o emprego do verbo e do substantivo homônimos, para efeito cômico. O substantivo "tinha", em sentido figurado, tem a acepção de "vício" ou "defeito".

[162] Sem ordem, em confusão, a esmo.

[163] Em sentido popular, quer dizer "reprimenda" ou "descompostura".

CENA III[164]

Sala e uma cadeira. Saem Tebandro com máscara caída e Lidoro sem ela e depois põe Tebandro a máscara e no fim se correrá a corrediça do meio e aparecerá toda a sala, em que haverá uma mesa composta em forma de banquete.

TEBANDRO – Lidoro, vós sem máscara, quando todos já vimos caminhando a este lugar do sarau!

LIDORO – Deixa-me, Tebandro, voar nas asas das minhas penas aos incultos desertos da Líbia, aonde não haja memórias deste infeliz.

TEBANDRO – Não desprezeis esta ocasião em que as infantas também dançam, para que no contato de tanta neve possais mitigar os incêndios do vosso ardor.

LIDORO – Não quero merecer ao rebuço da máscara o que sem ela não alcanço.

TEBANDRO – Também eu vivia na mesma desesperação; porém Fedra, compadecida dos golpes que a seta de amor fulminou em meu coração, para ligar as feridas me enviou esta banda.

LIDORO – Goza tu, ó Tebandro, essa fortuna, pois foste mais feliz no teu amor; que eu, desenganado, por não morrer muitas vezes irei morrer uma só. *(Vai-se).*

---

164 O mote desta cena foi todo extraído da peça *Amor es más laberinto*, publicada no volume 4 das *Obras completas* de Sor Juana Inés de La Cruz (1651-1695).

Vão saindo Ariadna, Fedra, Sanguixuga e Taramela com mascarilhas; põe Tebandro a sua; sai El-Rei sem ela, que se assentará; e enquanto vão saindo, cantar-se-á o seguinte:

CORO

Numa alma inflamada,
de amor abrasada,
cruel labirinto
fabrica o Amor.

Porém quem espera
o bem de uma fera,
acertos de um cego,
de um monstro favor?

REI – É tal o prazer que tenho de ver vingada a morte de Androgeu com a de Teseu, que, não cabendo em meu coração, o intento publicar nesta exterior alegria.

FEDRA – *(À parte)* Já ali diviso a Teseu pela senha da banda branca; desejara me tirasse a dançar.

ARIADNA – *(À parte)* Ainda não vejo a Teseu aqui; sem dúvida se quebraria o fio no Labirinto. Oh, quantos sustos padece quem ama!

SANGUIXUGA – *(À parte)* Quem pudera conhecer ao embaixador que o havia de sacar a passeio.

TARAMELA – *(À parte)* Se Teseu me fosse amante leal, para bem não havia de vir ao sarau[165].

[165] Nas falas das quatro personagens femininas, apresentam-se os fios que constituirão o emaranhado desta cena.

Sai Teseu com máscara.

TESEU – *(À parte)* A bom tempo chego! Quem pudera conhecer Ariadna!

ARIADNA – *(À parte)* Ali vejo Teseu; já descansará o meu coração.

TARAMELA – *(À parte)* Aquele da banda azul é Teseu, que sem ela o não conhecera; e, pois tão galhardamente se soube disfarçar, certos são os meus males.

Sai Esfuziote com máscara muito horrenda.

ESFUZIOTE – Só agora, que tapo o rosto, é que tenho cara de aparecer. Queira Deus me não perca nas voltas de Andresa[166]!

SANGUIXUGA – Ai, que galante máscara entrou agora!

REI – Dê princípio ao sarau a canora harmonia dos instrumentos.

TEBANDRO – Seja eu o primeiro, que na ordem do amor devo preferir a todos. Aquela, sem dúvida, é Fedra; dançarei com ela.

FEDRA – *(À parte)* Fortuna foi o conhecer-me Teseu.

TEBANDRO – Galharda ninfa, a permitida faculdade desta ocasião seja o indulto deste atrevimento.

FEDRA – Se a ocasião o permite, não pode a vontade deixar de obedecer.

---

[166] As "voltas de Andresa" é o mesmo que dizer que o serviço foi mal realizado.

Dançam e cantam os dois o seguinte:
MINUETE

TEBANDRO – Inda não creio
o bem que gozo!
Serei ditoso
no meu amar?
FEDRA – Estas as voltas
são da fortuna;
sorte oportuna
amor te dá.
TEBANDRO – Serás amante?
FEDRA – Serás constante?
AMBOS – Esta constância
firme será.

FEDRA – *(À parte para Tebandro)* Amanhã à noite te espero na sala dos enganos do Labirinto.

TEBANDRO – (*À parte*) Amor, tanta fortuna junta temo me mate o gosto de possuí-las.

REI – *(À parte)* Quem dançou com Fedra sem dúvida foi Tebandro e o fez galhardamente.

Faz Ariadna acenos para Teseu.

TESEU – Aquela por acenos me diz a tire a dançar; sem dúvida é Ariadna, que me conheceu pela banda. Oh, que vagarosos são os passos de um acelerado desejo! *(À parte para Ariadna)* Formosa ninfa, para que me não perca no labirinto da dança, permiti que o norte de vossas luzes seja o índice de meus acertos.

ARIADNA – *(À parte para Teseu)* Bem é que aprendais acertos neste Labirinto, para que no de amor não vos percais.

Dançam e cantam os dois o *seguinte*
MINUETE

TESEU – Na pura neve
de teus candores
os meus ardores
se ateiam mais.
ARIADNA – Se essa ventura
feliz alcanças,
nessas mudanças
temo o meu mal.
TESEU – Serás amante?
ARIADNA – Serás constante?
AMBOS – Esta constância
firme será.

ARIADNA – *(À parte para Teseu)* Na sala dos enganos espera-me amanhã a estas horas.

TESEU – Ao meu desejo e ao teu preceito obedecerei.

REI – *(À parte)* O que dançou agora com Ariadna seria Lidoro. Quem me dera ver já concluídas estas ditosas núpcias!

ESFUZIOTE – Aquela das ancas roliças é Taramela; e, ainda que o não seja, como *imaginatio facit causam*[167], suponho que é ela; e, já que é menina do

---

[167] Corruptela da frase em latim que significa "a imaginação inventa a causa".

açafate, dançarei com ela uma jiga[168]. Senhora mascarada, aqui todos somos uns; erga o rabete e vamos dançando.

TARAMELA – Bem condizem as palavras com o gesto; tenho entendido que em tudo é ridículo.

ESFUZIOTE – Ela é sem dúvida, que agora a conheço melhor pelo falso metal da voz. Ora intiricemo-nos[169] em forma dançatriz.

ÁRIA A DUO

em forma de minuete

ESFUZIOTE – Inda que gaste
duzentas solas,
mil cabriolas
por ti farei.

TARAMELA – Ai, que bichancro[170]!
Que horrenda cara!
Quem lhe cascara
um cambapé[171]! *(Faz Esfuziote que tropeça).*

ESFUZIOTE – Dá-me essa mão,
para me erguer.

TARAMELA – Vá-se daí?
Quem é você?

---

168 "Jiga" é uma dança popular. Açafate e jiga relacionam-se por evidenciarem ambos que a "menina" é de classe popular, uma vez que "açafate" é um cesto de vime simples. Assim, "se a menina é das que carregam cestos, dancemos uma dança popular".

169 "Inteiriçar" quer dizer "fazer perder o movimento às articulações".

170 Gesticulação ridícula.

171 Movimento ou golpe com o pé ou a perna para derrubar ou fazer tropeçar alguém.

ESFUZIOTE – Sou quem por ti
mil cabriolas
juntas farei.
Queres tu ver?
Ora lá vai:
uma, duas e três e quatro e
cinco e seis! *(Em pulos).*

AMBOS – Mui buliçoso[172]
tens esse pé!

REI – Basta; demos por acabado o sarau. Olá! Preparem-se as mesas, pois quero banquetear esta noite aos príncipes.

TARAMELA – Vamo-nos, tia, que os príncipes querem cear. *(À parte)* Ah, falso Teseu! Eu me vingarei de ti! *(Vai-se).*

SANGUIXUGA – *(À parte)* E que se passasse a noite sem haver um embaixador que comigo dançasse, para mostrar as minhas habilidades! Paciência; vamos a codear[173]. *(Vai-se).*

Corre-se a corrediça do meio, aparece uma mesa e tiram todos as máscaras, exceto Teseu e Tebandro.

REI – Príncipes, tirai as máscaras, que não haveis de comer com elas.

TESEU – *(À parte)* Estou perdido, se El-Rei teima em que nos descubramos, pois já me não posso

[172] Que se mexe muito, muito rápido no raciocínio ou na reação.

[173] Comer côdeas, isto é, casca de pão; o mesmo que "beliscar".

retirar sem que me veja; e, se me for à sua vista, talvez que mo não consinta. Quem jamais se viu em tão apertado lance!

FEDRA – Ai de mim, que se Teseu tira a máscara, El-Rei o conhece! *(À parte para Tebandro)* Não tires a máscara, que nisso está a tua vida!

TEBANDRO – *(À parte)* A minha vida? Não entendo a Fedra.

ARIADNA – Que será de Teseu, se El-Rei porfiar em que tire a máscara? *(À parte para Teseu)* Teseu, não tires a máscara, que primeiro está a tua conservação.

TESEU – Bem sei; mas que hei-de fazer?

REI – Que é isso, Lidoro? Que é isso, Tebandro? Não tirais as máscaras?! Recusais o meu convite?!

ESFUZIOTE – Eu por mim, Senhor, sem preceito de Vossa Majestade, já tirei a mascarilha, se bem que para tais funções ainda com máscara mascara[174].

TEBANDRO – *(À parte)* Fedra me diz que não tire a máscara e El-Rei ordena o contrário! Como há-de isto ser?

TESEU – *(À parte)* Hoje será a minha total ruína!

ESFUZIOTE – *(À parte para Teseu)* Não te disse eu, Senhor, que temia nesta dança algum contratempo?

REI – Essa desobediência é ludíbrio do meu decoro. Que receio tendes em vos descobrirdes? Alguma traição indica esse recato e esse rebuço[175]. Olá, da minha guarda!

---

[174] Trocadilho com "mascar" e "mascarar".

[175] Dissimulação.

FEDRA – *(À parte)* Ai, infeliz Teseu, eu me vou, antes que os meus olhos vejam tal desgraça! Quem nunca te mandara chamar! *(Vai-se).*

ARIADNA – *(À parte)* Que infelicidade!

ESFUZIOTE – *(À parte)* Eis aqui os bailes! Coisa de pés sempre dá na cabeça!

Tanto que El-Rei chama a guarda, virão dois soldados e com eles o príncipe Lidoro com máscara, pela parte donde está Teseu, e este se irá logo, e El-Rei estará virado com as costas para ele e Tebandro tira a máscara[176].

TESEU – Agora neste tropel e confusão me irei. *(Vai-se).*

LIDORO – Não pude acabar comigo deixar de vir ao sarau; mas cuido que já venho tarde. *(À parte).*

ARIADNA – *(À parte)* Já se foi Teseu! Já respiro com sossego.

REI – Agora fará o rigor o que não pode o respeito.

TEBANDRO – Aqui não há mais que obedecer. Senhor, Vossa Majestade não acuse de remissa a minha obediência, pois eu... eu... *(Tira a máscara).*

REI – Está bem, Tebandro. E vós, Lidoro, nem o exemplo de Tebandro, nem o meu preceito é bastante para que acabeis de tirar a máscara? Porém não deveis de ser Lidoro, que, a ser, seríeis mais atento; e

[176] Na rubrica, é descrito um jogo de engano cênico, em que as personagens, sem se dar por isso, trocam de lugar, encontrando uma solução cenicamente interessante para o imbróglio da situação dramática.

nessa suposição... Olá, tirai a máscara a esse homem, para que, depois de conhecido, pague com a vida o seu atrevimento!

LIDORO – Senhor, que diz Vossa Majestade, se eu ainda agora entro, sem que em nenhum tempo fosse inobediente[177] a teu preceito? *(Tira a máscara).*

REI – É boa desculpa esta, Lidoro: querer contradizer uma ocular evidência!

LIDORO – Um príncipe de Epiro não sabe mentir; e, para que me acredites, pergunta-o a esses soldados que comigo vieram.

SOLDADO I – Assim é, Senhor, que o príncipe Lidoro conosco entrou.

ESFUZIOTE – *(À parte)* Isso está muito bem, mas o caldo estará de neve.

ARIADNA – *(À parte)* Estimo que fosse Lidoro o culpado.

REI – Lidoro, eu creio o que me dizeis; porém deixai que creia também aos meus olhos que viram um máscara dançar com Ariadna, a quem mandei se descobrisse, cuja desobediência foi tal, que para seu castigo me obrigou a chamar a estes soldados de minha guarda.

LIDORO – Senhor, eu não dancei com Ariadna, que a minha fortuna, sempre adversa, me privou desse bem, por não querer conseguir favores no disfarce de quem na realidade me despreza; e assim peço-te, Senhor, me dês licença para retirar-me à minha corte, que, como há em palácio quem dance

[177] Desobediente.

com Ariadna e há nela repúdios que me desenganam, bastante motivo parece que abona o meu retiro. *(Quer ir-se).*

REI – Não vos ausenteis, Lidoro, levando um escrúpulo tão indecente ao meu decoro. Eu vos prometo averiguar quem foi o que dançou com Ariadna, para o que empenho a minha real palavra.

ESFUZIOTE – Isso assim será; porém a sopa *esfriata est.*[178]

ARIADNA – Lidoro, se pelos meus desvios vos ausentais, digo que tendes razão; porém sempre andastes descomedido em dizer que há em palácio quem dance comigo; quando não pode haver tão atrevido pensamento, que intentasse, com o dissimulo[179] do disfarce, aproveitar-se do contato de minha mão; pois só com a permitida faculdade de El-Rei cometerias, com esse indulto, esse delito.

LIDORO – De tão ditoso crime desejara ser o culpado.

ESFUZIOTE – Senhores, guardem isso para sobremesa, pois naquela babilônia de paios[180] não faltam línguas para deslindar esse novo caso da consciência.

REI – Eu confesso que estou perplexo e ainda não posso crer que não dançastes com Ariadna.

---

[178] Corruptela da frase latina que significa "está fria".

[179] Dissimulação.

[180] Pode significar ao mesmo tempo uma pessoa ingênua e um tipo de linguiça. Ou seja, novamente, Esfuziote brinca com termos dúbios que evoquem o campo gastronômico.

LIDORO – Nem ao menos pelo vestido pudestes distinguir se me parecia eu com esse máscara que dançou?

REI – Como já os anos me vão privando da perspicácia do melhor sentido, não fiz apreensão no vestido; diga-o Ariadna e Tebandro.

TEBANDRO – Não há dúvida que o vestido era diferente a este de Lidoro.

ARIADNA – Pois, a meu ver, nenhuma diferença tinha; e para que Lidoro se não atreva em minha presença a proferir tão inauditas ofensas, Vossa Majestade me permita licença, pois que não posso castigar o seu atrevimento, ao menos me retire de ouvir tão loucas palavras. *(Vai-se).*

ESFUZIOTE – Ora isto já se não pode aturar! Eu não hei-de ser Tântalo, ainda que esteja no Inferno; valham-me as minhas rapantes habilidades, que com a disputazinha em nada reparam a estas horas[181].

Esconde-se Esfuziote debaixo da mesa, e de quando em quando deita a mão em um prato.

REI – O caso está duvidoso.

ESFUZIOTE – *(Deita a mão)* Por isso vou comentando.

REI – Lidoro, descansai, que vos prometo averiguar quem foi o que dançou com Ariadna; pois, a

[181] Esfuziote não há de ser Tântalo porque não há de ficar com fome frente a tanta comida. Já suas "rapantes habilidades" se referem à sua capacidade de comer, uma vez que "rapa" é uma variante informal para "comilão".

não serdes vós, como dizeis, e não vermos retirar-se o outro que se supõe, não sei quem possa ser, salvo se for o vivo morto que o Oráculo predisse para total extinção do Minotauro. *(Vai-se).*

ESFUZIOTE – *(Comendo)* Isso dizem todos à boca cheia.

TEBANDRO – *(À parte)* Vou confuso, sem saber por que causa me diria Fedra que me não descobrisse. *(Vai-se).*

LIDORO – Quem viu maior confusão[182]!

ESFUZIOTE – *(À parte)* Pergunte-mo a mim, que eu porei isto em pratos limpos.

LIDORO – Que enleio será este? Tudo em Creta são labirintos e enigmas! Pois afirmar El-Rei que eu dancei com Ariadna, quando vinha para esse efeito, e o que mais é, não aparecer nem saber-se quem com ela dançou, não sei o que presumo!

ESFUZIOTE – *(À parte)* O supino de presumo é o presunto[183], e este que não é mau!

LIDORO – Presumir em Ariadna que admite outro amante é desacerto, por não haver em Creta quem a mereça. Eu, vacilante no oceano tempestuoso de tanta confusão, não sei discernir o que será isto.

ESFUZIOTE – *(À parte)* É chouriço, que sabe como gaitas.

---

[182] A partir desta fala, sugere-se um solilóquio de Lidoro, comentado por Esfuziote em forma de aparte para o público.

[183] Tavares (1945): "ao verbo latino *praesumere*, donde provém o nosso *presumir*, pertence a forma nominal *praesumptum*, chamada *supino*, que o autor por graça transforma em *presunto*".

LIDORO – Oh, nunca caprichara em não vir ao baile, que, se a tempo chegasse, nunca haveria quem tanta fortuna conseguira! Oh, que tormento me penetra o íntimo do coração, pois em tanta dúvida não posso decifrar a causa de minhas penas!

ESFUZIOTE – Na verdade, que isto é um bocado que se não pode tragar! Valha o Diabo ao cozinheiro, que deixou o galo com esporões!

Repete Lidoro o seguinte
SONETO

Se este mal que padeço hei-de mostrá-lo
perífrases não acho a defini-lo;
pois, quando dentro de alma sei senti-lo,
balbuciente é o gemido a declará-lo!

Por mais que intento em vozes decifrá-lo,
me sufoca o pesar ao proferi-lo,
pois contém este mal um tal sigilo,
que parece é delito o publicá-lo.

Se o tormento que n'alma se resume
reside inexplicável cá no interno
do peito, donde sinto um vivo lume,

somente caberá seu mal eterno
ou na língua do fogo do ciúme,
ou na boca voraz do mesmo Inferno.

ESFUZIOTE – *(Comendo)* Já que deu o mote, cá vai a glosa.

Sai Taramela.

TARAMELA – Já que o falso Teseu corresponde a Ariadna, pois com a banda que lhe dei, em seu nome veio ao sarau e com ela dançou com notório desprezo de minha pessoa, que espero, que me não vingo, estorvando os intentos do seu amor?

ESFUZIOTE – Lá vem Taramela, se me não engano! E como vem comezinha!

TARAMELA – Senhor Lidoro, tão só por aqui a estas horas?! Já me não pergunta por Ariadna?

LIDORO – Já se acabou esse cuidado, que, como Ariadna tem quem dance com ela, não é muito que encontre mudanças na minha fortuna.

TARAMELA – Tem muita razão Vossa Alteza, e muito mais dançando com quem dançou.

ESFUZIOTE – *(À parte)* Temos o caldo entornado, que a moça é capaz, como eu aqui faço, de dar com a língua nos dentes.

LIDORO – Pois, Taramela, tu sabes quem dançou com Ariadna?

TARAMELA – Se guardas segredo, eu to direi. *(À parte)* Zelos, tempo de derramar já tanto veneno!

ESFUZIOTE – Vejam lá, se assim como me deu a banda no Labirinto, se a desse a Teseu, que tal seria?

LIDORO – Dize-mo, Taramela; e, para que vejas o meu agradecimento, aí tens nesta joia o antecipado prêmio de meu afeto. *(Dá a joia)*[184].

---

[184] O recurso cênico da joia, que fala à cobiça dos criados, é utilizado em

TARAMELA – Ai, Senhor! Para mim não há mais joia que o seu bom modo e cortesia; que o modo com que se dá aumenta o valor da dádiva.

ESFUZIOTE – *(À parte)* Porém, sempre lambendo!...

LIDORO – Dize; não tenhas pejo[185].

ESFUZIOTE – *(À parte)* Eu cuido que ela está pejada[186], pois, a vejo em termos de vomitar.

TARAMELA – Vigie não venha Ariadna, que, se me acha falando com Vossa Alteza só por só, me matará certamente; pois diz que nem coisa sua quer que com Vossa Alteza fale.

LIDORO – Podes dizer, que ela não vem agora.

TARAMELA – Pois, Senhor, saberá que quem dançou com Ariadna... Ai, Senhor! Veja, por sua vida não venha ela!

LIDORO – Dize, que não vem; pois quem foi?

TARAMELA – Foi Teseu[187].

LIDORO – Teseu?! Que dizes? Como pode ser, se ele morreu no Labirinto? Vai-te e deixa-me com essas quimeras.

---

quase todas as peças de Antônio José da Silva. Particularmente nesta situação, a criada, de acordo com seu *status*, faz intriga. Entretanto, diferentemente de Sanguixuga e da banda dada a Tebandro, aqui a criada diz a verdade – embora ela não saiba a verdade –, tamanha é a "simpleza" do jogo dos criados.

[185] Pudor, vergonha, acanhamento.

[186] Trocadilho cômico, já que "pejada", pode significar tanto "envergonhada", quanto "grávida".

[187] Observe-se que, com a revelação do segredo, a intriga secundária interfere diretamente no desenvolvimento da intriga principal. De acordo com a preceptiva tragicômica vigente no período, este "lance de teatro" seria pouco ou nada explorado pelos dramaturgos anteriores, constituindo-se, portanto, como uma inovação judeína.

ESFUZIOTE – A mulher é capaz de desenterrar mortos.

TARAMELA – Senhor Lidoro, Teseu não morreu: Ariadna se corresponde com ele e veio ao baile; e por sinal...

LIDORO – Espera, que aí vem Ariadna por aquela sala.

TARAMELA – Ai, desgraçada de mim, se aqui me vê! Esconda-me em algures.

ESFUZIOTE – *(À parte)* Bem haja Ariadna, que veio; nunca to pé doa.

LIDORO – Enquanto ela passa, esconde-te debaixo daquela mesa, que de outra sorte não podes ir sem que te veja.

TARAMELA – Pois eu me escondo, e avise-me quando se vai.

ESFUZIOTE – *(À parte)* Anda para cá, que eu te perguntarei.

Esconde-se Taramela debaixo da mesa, donde está Esfuziote e brigam, de sorte que virá a mesa ao chão.

TARAMELA – Ainda estou sem pinga de sangue no corpo.

ESFUZIOTE – Aqui se pagam elas, velhaca, embusteira!

TARAMELA – Ai, que não sei quem aqui está!

ESFUZIOTE – Cala-te, marafona[188]!

TARAMELA – À que de El-Rei! Acuda-me, Senhor Lidoro; acuda-me Vossa Alteza! *(Cai a mesa).*

ESFUZIOTE – Antes que te vejam, Esfuziote, vai-te esfuziando[189]. *(Vai-se).*

LIDORO – Quem vai aí? Quem é, Taramela?

TARAMELA – Ele aí vai; veja se eu falo verdade!

LIDORO – Irei em seu seguimento. *(Quer ir-se).*

Sai Ariadna.

ARIADNA – Em seguimento de quem? Que foi isto, Taramela? Que distúrbio é este?

TARAMELA – Vindo levantar a mesa, estava um cão roendo um osso. Foi ele que me queria levar a carne da perna por amor do osso, que para ambos foi de correr; eu para fugir, e o cão para morder-me; e com o medo tropecei na mesa e veio tudo ao chão[190].

LIDORO – *(À parte)* Que não pudesse distinguir quem era o que fugiu! Mas quem havia de ser senão quem disse Taramela, que talvez por esse respeito viesse Ariadna a este lugar, estorvando-me o segui-lo?

ARIADNA – Vai chamar quem levante a mesa. Ouves? *(À parte)* Dirás a Teseu que, se por acaso me

---

[188] Mulher desprezível.

[189] "Zunindo".

[190] Numa atitude que difere dos preceitos da personagem-tipo da criada, Taramela mente para a própria dama.

não ouviu no baile, que o espero na sala dos enganos[191] amanhã à noite.

TARAMELA – Eu vou, Senhora. Olhe o negro cão o susto que me meteu!

LIDORO – Cuido, Senhora, que já vindes tarde; mas quem é vivo sempre aparece[192].

ARIADNA – Não entendo essa nova frase de falar-me.

LIDORO – Não sem causa eram os teus desvios, ingrata; pois, desprezando a viva constância com que te adoro, idolatras a um morto na aparência, que vive em teu coração na realidade.

ARIADNA – *(À parte)* Ai, desgraçada! Que é o que ouço?

LIDORO – Agora morrerei com mais suavidade, conhecendo a causa de teus desvios; mas não desesperado na incerteza da causa de teu desdém.

ARIADNA – Como desatento a meu decoro fabricais em vosso pensamento esses temerários conceitos, indignos de minha soberania?

LIDORO – Que ofensa faço em dizer que amas a Teseu e que foi quem contigo dançou disfarçado? E se um príncipe como Teseu é o teu emprego, em que se pode ofender o teu decoro?

---

[191] A sala dos enganos é mais um dos aposentos do labirinto. O nome da sala antecipa os enganos que lá ocorrerão, embora isso não seja nenhuma novidade para o público daquela época – pois tudo são enganos, até que a intriga termine.

[192] Ditado popular que, no caso, brinca com a profecia do Oráculo.

ARIADNA – Que mais claro o há-de dizer? Louco príncipe, bem se vê que todas as máquinas que fabricas são fundadas em aéreas desconfianças; pois, ainda que Teseu pudesse ressuscitar agora, nem vós nem ele nem ninguém podia contrastar a minha isenção. Ide-vos; ide-vos, bárbaro, temerário, que essas fingidas ideias não podem escurecer as purezas do Sol.

LIDORO – Adverti que o Sol, com ser puro, não deixou de amar a Dafne.

ARIADNA – Ide-vos; tenho dito.

LIDORO – Eu me vou; porém não sei se me tornarás a ver; que os zelos em que me abraso, não cabendo dentro do coração, talvez façam maior estrago do que imaginas. *(Vai-se).*

ARIADNA – Ai de mim, que Lidoro, zeloso, sabendo que Teseu é vivo, o irá comunicar a El-Rei! Que farei? Amor, influi acertos a meus intentos, para que Teseu não fique oprimido a violências de um cego ciúme.

Canta Ariadna a seguinte
ÁRIA

Confusa e perdida,
sem alma e sem vida,
alívio em meus males
aonde acharei?

Se a infiel tirania
de um cego me guia,
em tantos enleios
que acertos terei? *(Vai-se).*

CENA IV

Gabinete e espelho no fim dele. Saem Teseu e Dédalo.

DÉDALO – Notável foi a traça[193] com que te saíste do sarau! E, pois então lograste essa fortuna, não é justo entendas que sempre terás os fados propícios.

TESEU – Nunca me vi em tão evidente perigo; porém, por maior que seja, nunca deixarei de ver a Ariadna; que um espírito, armado de amor, não teme as iras de Marte.

DÉDALO – Essas palavras são efeitos de um juvenil ardor; algum dia reputarás ignorância o mesmo que agora julgas discrição. Diga-o eu, quando fabriquei este labirinto, especialmente este gabinete, no qual empenhei com particularidade a minha ciência; porém o que naquele tempo foi vanglória da ideia, hoje vejo que foi erro da fantasia.

TESEU – Em todos os quartos do Labirinto admiro tanto artifício, que não sei discernir qual é o melhor; este não há dúvida que admira, mas não excede.

DÉDALO – Se tu, Senhor, souberas a virtude que tem aquele espelho, verias o quanto este gabinete é digno de estimação.

---

[193] Como alteração de "traço", refere-se à "trama" ou ao "ardil" engenhoso com que Teseu escapou do baile.

TESEU – Não me dilates o gosto de sabê-lo.

DÉDALO[194] – Aquele espelho que ali vês fica fronteiro àquela janela, da qual, ainda que muito distante, se veem os jardins de palácio; e, sem embargo da sua distância, é tal o artifício com que fabriquei esse espelho, que aquele objeto remoto o avizinha tanto aos olhos, que nele se distingue a mínima flor daquele jardim. Repara e vê.

TESEU – Não há dúvida. Que ameno pênsil[195]! Mas que muito, se Ariadna, ostentando-se Flora desse jardim, veste de púrpuras as rosas e de candores as açucenas!

DÉDALO – Conheces quem é aquele que lá vem?

TESEU – Já vejo que é Lidoro, e tão distintamente como se estivesse aqui conosco.

Por detrás do espelho aparece Lidoro.

LIDORO – Ainda me não posso capacitar que Teseu é vivo, só pelo leve informe de Taramela. É necessário maior averiguação para que com mais certeza o comunique a El-Rei em vingança dos meus zelos. Bem sei que as conjecturas são eficazes; porque haver quem com Ariadna dançasse, sem que se visse quem foi, e logo sair um homem debaixo da mesa

[194] Perceba-se que, nesta e em muitas outras falas de Dédalo, ele funciona, para o enredo, como expositor dos mecanismos que regerão o jogo cênico a ser instaurado, em geral explicitando como operam os enganos engendrados para a cenografia.

[195] Na sua acepção original, enquanto adjetivo, "pênsil" significa "suspenso". Nesta fala, substantivado, se refere ao jardim suspenso.

com arrebatada fuga, isto argúi uma quase verossimilidade de que Teseu é vivo; porém para condenar não bastam indícios.

DÉDALO – Mui triste e pensativo está Lidoro!

TESEU – Sem dúvida os desvios de Ariadna são a causa de seus pesares.

DÉDALO – Lá vem Ariadna; vê que mais queres.

Aparece Ariadna por detrás do espelho.

TESEU – E como vem galharda! Ai, Dédalo, que considero naquele espelho as propriedades de ustório[196]; pois na esfera de seus raios me abraso, salamandra[197] de suas luzes, se já não é telescópio em que diviso a bela grandeza daquele astro.

ARIADNA – *(À parte)* Aqui está Lidoro! Quanto temo que dos seus zelos a fúria sinta Teseu! Quero desvanecê-los, mostrando-me amante; que nas guerras de amor, vencer com enganos é o melhor sistema.

LIDORO – Vossa Alteza, Senhora, tão só por este jardim, podendo estar acompanhada no Labirinto?

ARIADNA – Lidoro, ainda se vos não desvaneceu esta fantasia? Pois sabei que, a ser possível viver Teseu, e eu capaz de amar, nunca por Teseu vos desprezara.

TESEU – Quem me dera poder ouvir o que falam Ariadna e Lidoro!

---

[196] Que queima ou que facilita a queimadura, como se percebe na metáfora subsequente.

[197] Salamandra aqui não se refere ao anfíbio, mas ao elemental do fogo.

DÉDALO – A tanto não pode chegar a ciência óptica.

TESEU – Pois para que me facilitaste o ver, se me havia negar o ouvir?

LIDORO – Se até aqui, cruel, me matavas com desenganos, agora com enganos me queres tiranizar? Não me desvaneças com possíveis carinhos a isenção do teu peito, que bem informado estou que adoras a Teseu vivo, ou ao menos as memórias de Teseu morto; pois de toda a sorte sei que o amas.

ARIADNA – Para desvanecer esse errado projeto do teu ciúme, quero, violentando a minha natural isenção, obedecer a teu rogo. Vai, Lidoro; dize a El-Rei, meu pai, que abrevie os nossos desposórios[198], para que vejas que o meu desvio não se origina de ocultos afetos. *(À parte)* Perdoa, Teseu, estas fingidas vozes de minha cautela, que todas são dirigidas à tua liberdade.

TESEU – Que estará Ariadna dizendo a Lidoro com tanta eficácia?

LIDORO – Belíssima Ariadna, agora conheço a temeridade de meus ciúmes. Porém, quando não foram indiscretos os zelos? E, pois com tantos favores premeias os meus delitos, deixa que, prostrado, novamente a minha liberdade te sacrifique.

Põe-se Lidoro de joelhos, e Ariadna o levanta.

---

[198] Casamento.

TESEU – Que é o que vejo? Ai de mim, Dédalo! Que importa estar aqui ocioso o ouvido, se os olhos como testemunhas de vista me informam dos meus zelos? Não viste a Lidoro rendido aos pés de Ariadna, e ela com alegres carinhos recebendo a vítima de suas adorações?

DÉDALO – Pode ser que não seja de amor o motivo desse rendimento, maiormente quando não podes ouvir o que dizem.[199]

TESEU – Um impaciente amante, como Lidoro, que assunto podia ter para as suas vozes, senão expressões de seu amor? Ai, infeliz, que como basilisco dos zelos a mim mesmo me mato, quando os vejo no diáfano daquele espelho!

LIDORO – Porém, já que o suave espírito de tua fineza comunica novos alentos à minha esperança, permite-me algum sinal externo de tua constância.

ARIADNA – Cresça o engano; aumente-se a indústria. Suposto que o abono de minha palavra para me acreditares bastava, contudo este retrato meu será o fiador, para que creias mais à cópia que ao original. *(Dá-lhe o retrato).*

LIDORO – Com o favor deste retrato alentas ao meu coração de vivas cores.

TESEU – Que dizes, Dédalo? Pode agora enganar-se a vista? Não viste dar Ariadna um retrato seu, que no peito trazia, a Lidoro? Que mais clara evidência de sua falsidade? Ah, ingrata! Ah, falsa

[199] Dédalo opera na estrutura da trama como um *raisonneur*, aquela personagem-tipo que tenta equilibrar as paixões presentes na cena – em geral, infrutiferamente.

Ariadna! Essas eram as tuas isenções? Porém, se és mulher, que muito sejas mudável[200]!

DÉDALO – Oh, quem nunca trouxera a Teseu a este lugar!

LIDORO – Para que me possa vangloriar de ditoso, só falta que um favor me concedas.

ARIADNA – Dize.

LIDORO – Atende.

Cantam Lidoro, Ariadna e Teseu a seguinte
ÁRIA

LIDORO – Se ostentas no pintado
constante o teu agrado,
oh, peço-te não seja
pintado o seu favor.

ADRIADNA – Se o vário dessas cores
adoras por favores,
nas sombras da pintura
mitiga o teu ardor.

TESEU – Falsa, cruel, avara
na dúvida repara!
Verás nesse retrato
copiada a minha dor.

LIDORO – Dize, serás constante?

ARIADNA – A mim não mo perguntes;
o tempo to dirá.

TESEU – Tirana, eu desespero,
eu me abraso, eu enlouqueço.
Quem viu tormento igual?

---

[200] Misoginia de Teseu, que toma o conceito de mulher difundido à época, de sem caráter e inconstante.

LIDORO – A cópia que me anima,
ARIADNA – A cópia que me alenta,
TESEU – A dor que me atormenta,
TODOS – se intenta eternizar.
LIDORO – Mas ai, que essa fortuna
não posso acreditar!
ARIADNA – Mas ai, que a tua ideia
se pode alucinar!
TESEU – Mas ai, que o meu ciúme
me quer precipitar!
LIDORO e ARIADNA – Pois que ouço,
TESEU – Pois que vejo
TODOS – que nada no Orbe constante será.

(Vão-se Lidoro e Ariadna).

DÉDALO – Príncipe, não te entregues todo ao sentimento; deixa loucuras de amor.

TESEU – Nada me digas; deixa-me seguir a uma inimiga que na fragrância daquele jardim se ostenta Vênus daquele Adônis; porém o meu mavórcio[201] furor em sanguinolenta metamorfose escreverá nas folhas das brancas rosas as rubricas de minha vingança. *(Quebra o espelho).*

DÉDALO – Que é o que intentas?

TESEU – Arrancar aquela traidora dos braços de seu amante.

DÉDALO – Que culpa teve o cristal, para experimentar o teu rigor, quando nele só por reflexo viste a causa de tuas penas?

---

201 Belicoso.

TESEU – Ainda que errei o tiro, sempre acertei o golpe; porque espelho que foi teatro dos meus zelos é bem que em átomos desfaleça, para que no estrago de seus cristais se represente melhor a tragédia do meu amor, já que o furor que me abrasa não sabe liquidar no espelho de meus olhos o cristal de meu pranto.

DÉDALO – Em um instante desvaneceste o trabalho de tantos anos.

TESEU – Dédalo, guia-me à sala dos enganos, aonde me disse Ariadna a esperasse esta noite, pois já o délio planeta em mal distintas luzes quase toca a diáfana meta do último horizonte[202].

DÉDALO – Para que procuras a Ariadna, se a viste seguir a Lidoro?

TESEU – Por isso mesmo; para que na sala dos enganos encontre o último desengano. Ai, Dédalo que há no mundo mais labirintos do que cuidas!

DÉDALO – Não sei que até aqui haja outro, fora deste.

TESEU – Pois sabe que dentro deste Labirinto existe outro labirinto.

DÉDALO – Não entendo!

TESEU – Para que me entendas, atende e verás.

---

[202] Linguagem cortesã, metáfora para "anoitece". O Sol é chamado de "délio planeta", "délio" por ser "de Delos", ou seja, de Apolo; "planeta" porque, no início do século XVIII, em Portugal, ainda muito se falava do Sol como um dos planetas que gira em torno da Terra – à exemplo da Máquina do Mundo camoniana (*Os Lusíadas*, livro X).

SONETO

Labirinto maior, mais intrincado,
tem amor em meu peito construído,
de quem se ostenta aos golpes do gemido,
cinzel a mágoa, artífice o cuidado.

Na memória se vê delineado
o tormento de um gosto amortecido;
na confusão da dor o bem perdido
nunca se encontra, ainda quando achado.

À máquina mental desta estrutura
adornam, em funestos paralelos,
lâmina o susto, sombras a pintura.

Colunas são os míseros desvelos,
estátua o desengano se afigura,
fio a esperança é, monstros os zelos. *(Vai-se).*

DÉDALO – Quem duvida que amor é o maior labirinto? (*Vai-se*).

CENA V

Sala de colunas, que a seu tempo cairão, e ficará tudo em outra vista, e no fim da sala haverá uma vaca. Sai Esfuziote.

ESFUZIOTE[203] – Agora que a boca da noite vai engolindo o manjar branco do dia... Não digo bem! Agora que a língua do Sol se vai encolhendo na boca da noite, a quem o cadeado do silêncio lhe fura os beiços da escuridade, venho segunda vez ao Labirinto; que se a primeira vim, porque nele me perdi, agora venho porque fora dele me querem deitar a perder. Fiai-vos lá em mulheres, que, em tendo zelos, são piores que cães danados! Tomara perguntar a Taramela para que foi dizer a Lidoro pá pé[204], tudo quanto lhe disse, e por um triz que me não apanha com o rabo na ratoeira! Não lhe perdoo o mau cozimento que me causou com os sustos; porém, para me livrar deles e dela, irei buscar a Teseu; que antes quero viver no Labirinto, que morrer em palácio; que pode ser que se lhes meta em cabeça que eu sou Teseu de verdade e me torçam o pescoço, assim como quem não quer a coisa; pois safam daqui fora. Oh, esta sem dúvida é a vaca, que disse Dédalo fabricara para Pasife! Cá está a escotilha, por onde a tal Rainha viu os touros de palanque! Mas eu, se me não engano, aqui vem gente; seja quem for, escotilha aberta, justo peca. Eu me escondo dentro da vaquinha, feito rainho[205], até que passe quem quer que é.

---

[203] Segundo Tavares (1945), "no começo desta fala, chasqueia o autor abertamente a linguagem gongórica. Faz lembrar Diogo Camacho no início do *Pegureiro do Parnaso*: 'Era naquele tempo em que tangia / para a lição de prima o triste sino...' (*Fénix Renascida*, v. 5, p. 39)."

[204] "Pá pé": expressão que significa "pormenorizadamente".

[205] Forma cômica, usada no lugar de rei para identificar a posição em que Esfuziote vai se meter, que se refere à rainha de Creta, Pasifae.

Esconde-se Esfuziote na vaca e sai Taramela.

TARAMELA – Outro recado temos de Ariadna para Teseu. E para ver se se namoram à chucha calada[206]! Bem fiz eu em dizê-lo a Lidoro! Esta é a sala dos enganos, para onde hei-de dizer a Teseu que venha! Mas isto é quase noite, para ir ao centro do Labirinto, e temo que me anoiteça no caminho; o melhor será ir-me embora, que, assim como assim, já não tenho mais que saber, que certos são os touros.

ESFUZIOTE – Mais certa é a vaca! Esta é Taramela! Não sei se lhe fale, pois, quando a sua falsidade me esconde, a sua beleza me escancareia[207]?

TARAMELA – Ai! Ainda aqui está esta negra vaca? Não sei como se consente este traste em ser!

ESFUZIOTE – Bom traste és tu!

TARAMELA – Só de a ver me tremem as carnes.

ESFUZIOTE – A rapariga tem tremendas carnaças.

TARAMELA – Oh, maldito seja Dédalo, que tal fez para ocasião de tanta ruína!

ESFUZIOTE – Oh, maldita sejas tu, que tão lambareira[208] és!

TARAMELA – Ela sem dúvida parece coisa viva.

ESFUZIOTE – Ora viva quem se chega!

TARAMELA – Para que mais, até a pele tem cabelos!

---

206 "À chucha calada": em segredo, às ocultas.

207 Neologismo cômico entre "escancara" e "patenteia", que significam "evidenciar".

208 Que não sabe guardar segredos.

ESFUZIOTE – A ocasião pelos cabelos. Espera, cabeluda deidade, que hoje o pente de meu carinho te tirará as lêndeas de tua desconfiança. *(Sai da vaca)*.

TARAMELA – Ai! Quem me acode, que a vaca sabe falar?

ESFUZIOTE – Há coisa mais eloquente em um banquete, que uma língua de vaca? Mas a tua, com tua licença, merecia sal e pimenta.

TARAMELA – Ui! Vossa Alteza cá está na sala dos enganos?! Não quis deixar de obedecer a seus amores?! Fez muito bem, que ela tudo merece.

ESFUZIOTE – Quem é essa ela, Taramela?

TARAMELA – Já lhe esquece? É aquela com quem dançou a noite passada.

ESFUZIOTE – A noite passada dancei contigo.

TARAMELA – Não me queira desesperar. Eu não o vi dançar com Ariadna com a mesma banda azul que lhe levei ao Labirinto, e por sinal que dançou melhor que ninguém?

ESFUZIOTE – Agora! Já estou mui pesado; isto é chão que já foi vinha[209].

TARAMELA – Logo, não nega que dançou com Ariadna?

ESFUZIOTE – Não, filha, que eu não podia dançar bem, senão contigo.

TARAMELA – E a banda azul?

---

[209] Variante da expressão: "chão que já deu vinha", que significa algo como "não vale o esforço".

ESFUZIOTE – Azul é ciúmes; quem os tem anda cego; quem anda cego não vê; e quem não vê não pode julgar de cores.

TARAMELA – Ora, Senhor, tenho entendido que Vossa Alteza faz zombaria de mim.

ESFUZIOTE – Já te disse que me não altezeies[210], que o amor e a Majestade sempre se assentaram em iguais tripeças[211].

TARAMELA – Senhor, com que estamos? Vossa Alteza pode negar que eu lhe trouxe uma banda azul ao Labirinto em nome de Ariadna?

ESFUZIOTE – Assim foi, que a verdade manda Deus que se diga.

TARAMELA – Pode negar que agora o acho aqui nesta sala dos enganos, na qual me disse Ariadna a esperasse Vossa Alteza, por se acaso não tivesse ouvido bem o que ela lhe disse? É isto verdade?

ESFUZIOTE – Verdade é que eu estou aqui.

TARAMELA – Logo, digo eu bem que namora a Ariadna?

ESFUZIOTE – Isso é mentira.

TARAMELA – Como pode ser verdade e mentira ao mesmo tempo?

ESFUZIOTE – Porque neste tempo tudo são mentiras e verdades.

TARAMELA – Se isso é conceito, não o entendo.

---

[210] Neologismo cômico composto por paralelismo ao termo castelhano *tutear*, que quer dizer "tratar por tu". "Altezear" seria "tratar por Alteza".

[211] Assento de três pés e sem respaldo.

ESFUZIOTE – Pois eu era tão descortês, que dissesse conceitos na tua presença?

TARAMELA – E para mais prova, diga: que fazia debaixo da mesa escondido, sendo um príncipe?

ESFUZIOTE – Estava para fazer certa prova.

TARAMELA – Prova? De quê?

ESFUZIOTE – Da tua falsidade, pois foste tão linguatriz[212], que disseste a Lidoro que eu estava vivo. Dize, tirana: assim desempenhas a catarata do teu nome? Se és Taramela, porque te não fechas? Mas se és Taramela devassa, por isso te abriste, desenterrando mortos, para enterrar vivos! Que dizes agora[213]?

TARAMELA – Digo que fiz muito bem; pois, já que eu o não hei-de lograr, não quero que me logre também; já que eu choro o seu desvio, sinta Ariadna o que eu padeço. Mas diga-me: porventura, quando se meteu debaixo da mesa, já sabia o que eu havia de dizer a Lidoro?

ESFUZIOTE – Cala-te, tola, mecânica; não sabes que nós os príncipes temos o dom de adivinhar? E para que o vejas, essa joia que trazes no peito te deu Lidoro. Não é verdade?

TARAMELA – É verdade; pois que temos?

ESFUZIOTE – Temos embargos a isso. Dize-me, insolente, leviana, frágil, pois tu aceitas joias de Lidoro, estando para casar com um príncipe de Atenas?

TARAMELA – Ele não ma deu por mal.

---

212 Neologismo equivalente a "linguaruda".

213 Jogo de palavras com o nome de Taramela, que significa tanto "pessoa tagarela", quanto "tranca de madeira para janela ou porta".

ESFUZIOTE – Pois eu por mal a tomo *(tira a joia)*; larga essa joia, indigna futura princesa, que não é decente à minha honra que adorne teu peito falso diamantes finos. É boa graça! Estou ardendo! *(À parte)* E, quando nada, saquei a joia por bom modo!

TARAMELA – Com quê, Vossa Alteza me leva a joia, ainda em cima de me ser desleal?

ESFUZIOTE – Olha, filha, aqui ninguém nos ouve! Eu bem sei que Lidoro te não deu por mal essa joia; mas não é brio meu que tu tragas dixes desse sevandija[214].

TARAMELA – Senhor, estava muito bem, se Vossa Alteza não amasse a Ariadna.

ESFUZIOTE – Olha! Permita Deus que, se eu casar com Ariadna, que, berrando, vá a minha alma parar aos quintos infernos, a fazer filhoses[215] com Plutão.

TARAMELA – Quanto mais jura, mais mente!

ESFUZIOTE[216] – Que por amor de meu amo perca eu essa tolã[217]! Ora vem cá, minha Taramela; façamos as pazes; tem lástima deste amante coração, que por ti chora pelas barbas abaixo como uma criança. Não te compadecem os soluços de um príncipe que, assoando o monco da mágoa no lenço da ingratidão,

---

[214] Dixes são joias de pouco valor e sevandija é um parasita, pessoa que vive à custa alheia.

[215] Receita feita com massa de farinha e ovos, que depois de frita se polvilha com canela e açúcar.

[216] As didascálias "à parte" e "a Taramela" foram por nós inseridas. Nesta fala, outro exemplo do rebaixamento da linguagem metafórica usada pelas personagens elevadas.

[217] Popularmente usado no sentido de burla ou logro.

destila o nariz da fineza o estilicídio[218] do sofrimento? Digo alguma coisa?

TARAMELA – Ai, deixe-me; não seja importuno, antes que lhe perca o respeito.

ESFUZIOTE – Perde-o muito embora[219], que nisso pouco se perde.

TARAMELA – Pois, já que me dá licença, ouça com o devido respeito.

Canta Taramela a seguinte
ÁRIA

Que trêmulo marres,
que estático morras,
que estítico mirres,
que morras, que marres, que mirres,
e a mim que se me dá?

Por mais que em teus males
em ânsias te estales
e em prantos te estiles,
debalde serás.

Quer ir-se, e sai Sanguixuga.

ESFUZIOTE e SANGUIXUGA – Espera, aonde vais, Taramela?

TARAMELA – Deixe-me, que vou desesperada.

---

218 "Monco" é outra palavra para "ranho". Em sentido figurado, "estilicídio" seria o fluxo aquoso da coriza.

219 Em boa hora.

ESFUZIOTE – Oh, quanto folgo que viesse tua tia!

SANGUIXUGA – É possível, rapariga, que me faças vir tropeçando por esses labirintos, vendo que nele entraste a estas horas? Que loucura foi essa?

TARAMELA – É vir segunda vez verificar os meus zelos, para que com duas testemunhas de vista sentenceie a este falso príncipe a perpétuo desterro de meus carinhos.

ESFUZIOTE – Bem folgo eu, Senhora tia, que viesse vossa Sanguixuguice, só para ver a insolência com que sua sobrinha trata ao segundo filho primogênito de El-Rei de Atenas, só porque a Infanta se afeiçoou de mim. E veja, tia: que culpa tenho eu de ser querido?

SANGUIXUGA – Senhor, se minha sobrinha lhe não tivesse amor, não teria zelos. *(À parte)* Que fará se ela soubesse que Fedra também o namora?

ESFUZIOTE – E foi tão insolente, que em vilipêndio da minha pessoa aceitou uma joia do príncipe Lidoro.

SANGUIXUGA – Ai, Senhor! Não seja ciumento, que em palácio é estilo darem os príncipes joias às criadas do Paço. Olhe, esta que aqui vê, ma deu o príncipe de Chipre.

ESFUZIOTE – Inda mais essa temos? Venha, tia, essa joia muito depressa.

SANGUIXUGA – Ai! A minha joia? Para quê?

ESFUZIOTE – Para que sim; se não, *a fortiori*[220] lha vou tirando. Arre lá! A tia vindoura de um príncipe de

[220] Com maior razão.

Atenas há-de trazer joias do príncipe de Chipre! Isso não! Não, Senhora, enquanto eu tiver o olho aberto. *(À parte)* Já temos duas joias!

SANGUIXUGA – Dê-me a minha joia, Senhor.

ESFUZIOTE – Nada, nada! Não tem que se cansar! Que dirá o embaixador, que é zeloso como os diabos, se lhe vir essa joia? Não queira pelo pouco perder muito.

SANGUIXUGA – Eu entendo que isso do embaixador é palhada[221], pois há muito que o não vejo.

ESFUZIOTE – Como recusava o teu matrimônio, mandei-o degredado para a sua pátria; mas logo virá deitar-se a teus pés.

TARAMELA – Tia, não gastemos tempo; vamos, que é tarde.

ESFUZIOTE – Diga-lhe primeiro que faça as pazes comigo; e, para que não cuide que amo a Ariadna, aqui mesmo neste lugar quero casar com sua sobrinha. Ande; leve o diabo quem não quer!

SANGUIXUGA – Ai, menina! Aproveita-te da ocasião.

TARAMELA – *(À parte)* Ah, falsário! Não cuides que me hás-de lograr. *(A Esfuziote)* Pois, Senhor Teseu, meta-se outra vez na vaca e espere por mim, que eu vou buscar luzes para celebrarmos o matrimônio com luminárias. *(À parte)* Tu verás como me vingo! *(Vai-se)*.

SANGUIXUGA – É possível que hei-de ver com estes olhos esbugalhados a minha sobrinha princesa!

---

[221] Conversa sem importância.

Senhor, saiba Vossa Alteza que por esta obra pia de amparar uma órfã sem mãe, hão-de os deuses fazê-lo vitorioso de seus inimigos. *(Vai-se).*

ESFUZIOTE – Eu sou o noivo e levo o dote em joias! Com esta casta de gente sou eu gente. Aparelha-te, Esfuziote, que hoje hás-de senhorear a melhor deidade, que calçou coturno. Ai, que já estou pulando! Ora sem dúvida que o fazer-me príncipe muito me granjeia na confeitaria do amor! Vamo-nos esconder na vaca; comece a obedecer quem principia a triunfar.

Mete-se Esfuziote na vaca. Saem Teseu e Dédalo.

DÉDALO – Está é a sala dos enganos. Nela não temas perigos, que no maior em que estiveres te defenderei com um certo artifício, que só para mim reservei.

TESEU – Pois não te apartes nunca de mim, enquanto espero o sol de Ariadna, para clarificar a opaca sombra deste caos; e, quando não, o cometa de meus zelos será luzido farol que me alumie.

ESFUZIOTE – Frito seja eu, se aquela voz parda não é de Teseu, azul no seu ciúme! Alguma cancaborrada[222] temos!

Sai Tebandro.

---

[222] Grande asneira ou disparate; coisa mal executada, trabalho malfeito.

TEBANDRO – Mui valente é o amor, pois, desprezando horrores e confusões, me conduz a este confuso abismo de enleios, facilitando-me o caminho a esta sala dos enganos um prático deste Labirinto.

Sai Ariadna pela parte de Tebandro, e Fedra pela de Teseu[223].

ARIADNA – Não disse bem quem afirmou que o amor carecia de olhos; que, a ser cego, não me guiaria a esta sala dos enganos, só a buscar o bem que adoro.

FEDRA – *(Sai)* Verdade falou quem disse que o amor era lince; que, a não ser, mal me conduziria a este pélago de horrores, a procurar a causa de meu tormento.

TESEU – Passos ouço; sem dúvida é Ariadna.

TEBANDRO – Gente vem; mas quem há-de ser senão Fedra?

TESEU – Vem, brilhante estrela de Vênus, a influir... Mas que digo? Tu não és a tirana que me ofendeste?

ESFUZIOTE – Estrela de Vênus é estrela boeira[224]! Aqui deve de haver algum touro, que vem namorar a esta vaca.

---

[223] Durante a cena entre Esfuziote, Taramela e Sanguixuga, anoiteceu. A próxima cena será feita toda às escuras, motivo dos enganos nela apresentados. Disso também são decorrentes as inúmeras metáforas da ausência ou privação da visão.

[224] "Estrela boeira" é outra forma de se referir ao planeta vênus. "Boeira" significa guardadora de rebanhos.

TEBANDRO – Feliz mil vezes eu, que em antecipadas luzes vejo confundir os raios da Aurora com os resplendores da Lua.

ESFUZIOTE – Se a Lua tem cornos, claro está que fala com a vaca metaforicamente.

FEDRA – *(Para Teseu)* És tu acaso aquele ingrato que não sabe corresponder à minha fineza?

TESEU – *(Para Fedra)* E tu, sem ser acaso, não és aquela mudável, que grata e carinhosa te ostentaste com Lidoro esta tarde no jardim?

FEDRA – Vê que te enganas.

ARIADNA – *(Para Tebandro)* Oh, quanto estimaras mais nesta ocasião que eu não fosse eu, senão minha irmã, a quem como agradecido saberás ser amante!

TEBANDRO – Tu não sabes, galharda Fedra, que nunca Ariadna me mereceu um cuidado? *(Para Ariadna)*

ARIADNA – *(À parte)* Teseu cuida que sou Fedra! Ah cruel, que mal pagas um constante amor!

ESFUZIOTE – Que diabo de sussurro ouço aqui! Sem dúvida isto é algum viveiro de cochichos!

FEDRA – Não sei que motivos tenhas para fabricar esse pensamento contra a lealdade com que te adoro!

TESEU – Se tu souberas o como te vi com Lidoro, talvez que o não negasses; porém mal poderão as tuas vozes contradizer aos meus olhos!

FEDRA – Já sei que isso é máxima que inventa a tua falsidade, para que me falte o tempo de dizer-te que só estimas os favores de minha irmã; mas, se o teu amor não fora cego, talvez que souberas avaliar as finezas que me deves.

TESEU – Tu bem sabes, Ariadna, que sempre foste primogênita de meu amor, sem que lograsse Fedra jamais as prerrogativas de querida.

FEDRA – *(À parte)* Ai de mim, que Teseu cuida que sou Ariadna! Oh, ingrato príncipe, quem nunca te conhecera.

ESFUZIOTE – Muito tarda Taramela! Eu confesso que já não posso estar embezerrado.

TEBANDRO – Já não sei, formosa Fedra, quando me verei completamente feliz.

ARIADNA – Deixa-me, ingrato, traidor, que já me falta a paciência para ouvir as tuas falsidades.

TEBANDRO – Júpiter com seus raios me abrase, se algum dia quis a Ariadna, pois só a ti, formosa Fedra...

ARIADNA – Cala-te! Ai de mim, que cada vez me ofendes mais!

FEDRA – Basta que nunca idolatraste a Fedra?

TESEU – Só tu, ingrata Ariadna, apesar das tuas falsidades, soubeste usurpar toda a liberdade de meu alvedrio.

FEDRA – Cala-te, desagradecido, que já te não posso escutar.

TESEU – Eu nunca amei a Fedra; tu a Lidoro, sim; deixa-me ingrata; não te compadeças da minha vida.

Ruído dentro.

DÉDALO – Teseu, retira-te; aí cuido que está alguém.

FEDRA – Retira-te por um pouco, ingrato, que, se me não engano, ali vem gente.

TESEU – Será ilusão; mas contudo, por amor de ti me retiro.

ESFUZIOTE – Ainda não vem esta maldita Taramela! Pois o verde de minha esperança se vai mudando no amarelo da desesperação.

Esconde-se Teseu e Dédalo. Sai Lidoro com espada na mão, e Taramela.

TARAMELA – Senhor Lidoro, esta é a sala dos enganos. Busque-o na vaca, que ele lá está esperando pela Senhora Ariadna.

LIDORO – Ah, falsa, cruel! Hoje me vingarei de ti e desse tirano que me ofende. Mas quem está aqui? Ariadna é, sem dúvida.

Encontra-se com Fedra.

FEDRA – Quem há-de ser? Já me desconheces. É a tua Ariadna.

LIDORO – *(À parte)* Não me enganou Taramela.

TEBANDRO – Querida Fedra, cuido que gente veio.

ARIADNA – Não sou Fedra, falso, traidor amante!

TEBANDRO – Ai de mim! Quem será?

LIDORO – *(Para Fedra)* Dize, ingrata Ariadna, ainda não achaste nesta escuridade a luz de teus olhos?

DÉDALO – Teseu! Aonde vais com essa espada?

TESEU – A vingar injúrias de meu amor. Morra o traidor que me ofende!

Sai Teseu com espada, briga com Lidoro e com a confusão se trocam as damas, ficando Fedra ao lado de Tebandro e Ariadna ao de Lidoro.

LIDORO – Morra o aleivoso[225] que me oprime!

FEDRA – Que desgraça! Ampara-me, príncipe.

ARIADNA – Que infelicidade! Sempre a teu lado morrerei constante.

DÉDALO – Que confusão!

TEBANDRO – Fedra, primeiro está a tua vida. Vem comigo.

ESFUZIOTE – Nesta arrenegada[226] da confusão saiu o trunfo de espadas! Ainda bem, que, estando o meu Sol em Tauro, estou metido em um sino[227].

[225] Traidor.

[226] Jogo de cartas entre dois parceiros.

[227] Tauro ou Touro é a segunda casa do Zodíaco, de onde decorre o trocadilho de Esfuziote, uma vez que “sino” é a forma popular de “signo”.

TARAMELA – Ai, mofina[228] de mim, que eu tive a culpa disto! Irei chamar quem acuda. Acudam todos, acudam a estorvar a maior desgraça que jamais se viu! Acudam! Acudam! *(Vai-se).*

TESEU – Debalde resistes ao vigoroso impulso de meu braço.

LIDORO – Por isso será maior o meu triunfo. Valente sois!

TESEU – Tenho amor e tenho zelos.

ESFUZIOTE – É um regalo ver touros de palanque[229]!

TEBANDRO – Fedra, segue-me.

FEDRA – Como, se estou quase morta?

ARIADNA – Senhor, ampara a minha vida.

Dentro El-Rei.

REI – Cercai todos o Labirinto, para que se investigue a causa deste alboroto[230].

DÉDALO – Retiremo-nos, que vem El-Rei.

TESEU – Dédalo, agora é tempo para que a tua indústria me valha.

DÉDALO – Anda comigo, que desta sorte nos não poderão seguir. *(Retiram-se).*

Sai El-Rei e um criado com luz; e depois que El-Rei diz: – Suspendei as armas! –, *vão-se Teseu e Dédalo, o qual dará uma grande pancada e caem as colunas e fica em vista de pátio.*

---

[228] Desditosa, infeliz.

[229] Referência às corridas de touros, muito populares à altura.

[230] Alvoroço.

REI – Suspendei as armas! Mas, ai de mim, que a sala toda vem vindo sobre nós! Estranho sucesso!

LIDORO – Isto é terremoto sem dúvida!

TODOS – Deuses, clemência!

ESFUZIOTE – Senhores, que diabo será isto? Tanta bulha[231] e algazarra ao redor da vaca?! Sem dúvida isto é algum açougue!

REI – Perplexo e confuso, não sei o que pronuncie.

ARIADNA – *(À parte)* Lidoro aqui e Tebandro?! Teseu sem dúvida se retirou, antes que o vissem. Oh, quanto estimo que o não encontrassem!

FEDRA – *(À parte)* Aonde estará Teseu? Talvez se ausentou, vendo que vinha gente.

TEBANDRO – *(À parte)* Com quem brigaria Lidoro, não estando aqui mais do que eu e ele?

LIDORO – *(À parte)* Tebandro foi sem dúvida o com quem briguei.

REI – Ainda não estou em mim, confuso entre tanto assombro. Lidoro, Tebandro, que foi isto nesta sala?

LIDORO – Se bem reparo, Senhor, isto não foi terremoto; seria algum artifício de Dédalo, que oculto estaria aqui; pois outro novo edifício se deixa ver, apesar da artificiosa ruína das colunas.

REI – Isso é, sem dúvida; porém, como Dédalo ainda vive encerrado no Labirinto, dele mesmo me poderei informar; mas, por ora, não me importa saber isso tanto como a causa de vossos insultos, inquietando o silêncio da noite e o sagrado deste

---

231 Desordem, confusão, barulho.

Labirinto com desafios; e o que mais é, ver eu aqui as infantas neste sítio e a estas horas, e vós, Lidoro, com essa espada na mão.

ARIADNA – Eu e Fedra, Senhor, vindo-nos a divertir e admirar, como sempre, este Labirinto, sucedeu anoitecer-nos; e, perdendo o tino na confusão da noite e do lugar, começamos a chamar quem nos acudisse, e os príncipes, talvez informados das nossas vozes e clamores, se animaram a vir libertar-nos deste enleio. Esta é a causa, Senhor, de nos achares aqui, e Vossa Majestade me permita licença, que a fadiga do susto me obriga a que me recolha. *(Vai-se).*

FEDRA – *(À parte)* Bem fingiu Ariadna!

ESFUZIOTE – Também quem quer que é, mente que tresanda.

TEBANDRO – Como Vossa Majestade já está informado da verdade, não tendo mais que saber, não tenho eu mais que esperar; mas sim a Fedra. *(À parte)* Ai, louco amor, quando terão fim os meus males? *(Vai-se).*

LIDORO – Por cuja causa, Senhor, não havia vir desarmado, vindo a este lugar. *(À parte)* Disfarcemos ainda a falsidade de Ariadna.

REI – Já tenho dito que, quando quiserem vir ao Labirinto, não venham desacompanhadas. E, já que se fez inútil o meu preceito, agora inviolavelmente ordeno, sob pena de minhas iras, que nem vós nem Ariadna venham mais ao Labirinto.

FEDRA – Senhor, Vossa Majestade... Eu, se...

ESFUZIOTE – Aquela finge que está turbada.

REI – Eu evitarei estes sustos. E vós, Lidoro, já tendes visto que não há em Creta quem pudesse dançar com Ariadna; e assim, satisfeito o vosso escrúpulo, podeis eleger ou o ir-vos para Épiro, como queríeis, ou casar com Ariadna, como pretendo, por não fazer infrutífera a vossa vinda.

LIDORO – Como já sei quem foi o que dançou com Ariadna, será justo que eleja o ir-me para Épiro.

REI – Pois que esperais, que o não dizeis?

FEDRA – Que será isto?

ESFUZIOTE – Lá vai Teseu com os diabos desta vez!

REI – Vede, Lidoro, não seja isso delírio de vossos zelos.

LIDORO – Não são delírios; são realidades, pois me atrevo a mostrá-lo neste mesmo lugar.

ESFUZIOTE – Agora isso, tomara eu ver pelo buraco desta escotilha.

REI – Neste mesmo lugar?! Aonde, se aqui não está ninguém?

LIDORO – Dentro daquela vaca acharás quem com Ariadna dançou.

ESFUZIOTE – Ai que eles comigo! Por aqui anda Taramela.

FEDRA – *(À parte)* Tomara já ver quem dançou com Ariadna.

REI – Olá! Investigai essa vaca, que segunda vez se conserva para a minha afronta, já que o meu descuido a não reduziu em cinzas, para que na minha lembrança só se conservasse esta memória.

Chega um soldado a tirar Esfuziote da vaca.

LIDORO – *(À parte)* Agora me vingarei de Ariadna.

SOLDADO – Quem aí está saia para fora!

ESFUZIOTE – Vaca não tem saia.

SOLDADO – Vá-se saindo daí!

ESFUZIOTE – A vaca é de pau, e não pode andar.

REI – Quebrem essa vaca. *(Dão na vaca).*

ESFUZIOTE – Querem carne de chacina? Esperem, que eu me patenteio antes que me metam os tampos dentro. Pois que é isto cá? *(Sai).*

LIDORO – *(À parte)* Que é o que vejo! Este é Teseu, que me disse Taramela?

REI – Que é isso, Lidoro? Este criado é o que dançou com Ariadna?! Vês que tudo foi delírio do teu ciúme?

LIDORO – Não sei o que responda. Senhor, já sei que o meu ciúme me pôde alucinar, mas não foi sem fundamento. *(À parte)* Estou corrido! *(Vai-se).*

ESFUZIOTE – E eu parado. Senhor, sirvo aqui de alguma coisa? Se não, quero buscar minha vida.

REI – E tu, Esfuziote, que fazias dentro dessa vaca? Dize.

ESFUZIOTE – É que eu sempre fui muito amigo de vaca.

REI – Responde a propósito.

ESFUZIOTE – Senhor, como sou filósofo natural, meti-me dentro da vaca, por ver se se dava vaca *in rerum natura*[232].

REI – Se não falas a verdade, mando-te lançar ao Minotauro.

ESFUZIOTE – O Minotauro já me não mete medo, para dizer a verdade. Saberá Vossa Real Majestade que fui criado de Teseu, que o escuro Cocito haja; quando de mim se apartou, me pediu de joelhos, com lágrimas de quatro em quatro, que fizesse eu muito por lhe apanhar alguns ossos seus, que sobejassem ao Minotauro, e que os enviasse para Atenas para consolação de seu pai; pois não queria que quem lhe comeu a carne lhe roesse os ossos. Eu, por lhe cumprir a sua última vontade, entrei neste Labirinto e, cuidando que a vaca era carneiro, entrei nela, para ver se achava algum osso, a tempo que se armou uma briga e veio Vossa Majestade, e acabou-se esta história.

REI – Por seres fiel a teu amo, te perdoo este excesso; porém te ordeno que não venhas mais ao Labirinto, aliás te matarei.

ESFUZIOTE – Sim, Senhor; vá Vossa Majestade descansado.

REI – Folgo que ficasse desvanecida a presunção de Lidoro! Vem, Fedra. *(Vai-se)*.

FEDRA – Eu te obedeço. *(Vai-se)*.

ESFUZIOTE – Isto já anda muito bulido com enganos e chismes[233] de Taramela. Irei avisar a Teseu,

---

[232] Na natureza das coisas.

[233] "Bulido" e "chismes" significam, respectivamente, "agitado" e "intrigas".

que se safe daqui para fora; pois, se El-Rei me aperta mais, eu sem estar bêbado me esborracho e lá ia quanto Ariadna fiou[234]. *(Vai-se).*

LIDORO – Todos se foram, só comigo ficou o meu cuidado; pois, ainda que o que estava escondido na vaca não era Teseu, como me disse Taramela, contudo pode ser que a prevenção variasse o sucesso, pois nem Taramela me havia de enganar, nem podia desconhecer o sujeito que dentro na vaca se escondeu. Oh, funesto labirinto de amor, aonde até os desenganos são confusões!

Canta Lidoro a seguinte ária e
RECITADO

Quem será, justos deuses,
esse feliz amante, que, escondido,
de Ariadna no ídolo elevado,
vítimas sacrifica?
Quem será (ai de mim!) esse gigante
que a tanto céu de amor subir pretende?
Que, suposto não veja esse incentivo
que meu zelo fabrica,
contudo o coração, sempre pressago,
não sei que vaticina;
pois tímido, covarde e pensativo,
cada objeto que vejo é um ciúme,
e até do que não vejo zelos formo.
Que muito, se eu de mim, em tais desvelos,
por amor de Ariadna tenho zelos!

---

234 Variante da expressão "e lá se vai quanto Marta fiou", que significa "perder o trabalho" – aqui também com referência óbvia ao fio que Ariadna entregou a Teseu.

ÁRIA

Qual leoa embravecida,
que se vê destituída
do filhinho tenro e caro,
que com fúrias e bramidos,
rompe a terra e fere o ar,

assim eu em meus gemidos
bramo, peno, sinto e choro,
vendo (oh, Deus!) o que eu adoro
noutros braços descansar.

CENA VI

Labirinto. Sai Teseu.

TESEU – Grande confusão causaria a súbita ruína das colunas, entre cujo horror pudemos sair, sem sermos notados de ninguém; porém, que importa que de um susto me redima, se de um cuidado me não separo? Quem seria (oh, duras penas!) aquele que, apelidando de ingrata a Ariadna, quis com instrumento de Marte vingar ofensas de amor? Mas quem havia ser, senão Lidoro, tirano usurpador de minha fortuna?

Sai Ariadna.

ARIADNA – Teseu, o amor e o medo, ambos me deram asas para buscar-te.

TESEU – Olha que vens enganada, pois entendo que buscas a Lidoro.

ARIADNA – Deixa por ora essas loucuras e falemos no que mais importa.

TESEU – Haverá coisa que mais importe que os meus zelos?

ARIADNA – Que zelos? Que Lidoro? Que delírio é esse?

TESEU – Pergunta-o às flores do jardim que testemunharam os recíprocos carinhos com que atraíste a Lidoro, que ao depois na sala dos enganos, chamando-te ingrata, me intentou matar.

ARIADNA – Quanto ao jardim, logo verás que mais te defendo que te ofendo; e quanto à sala dos enganos, há mais que apurar na tua inconstância, que na minha firmeza; pois, cuidando tu que eu era Fedra, por quem talvez esperavas, me disseste que nunca Ariadna te mereceu um só cuidado. Vê agora se achas desculpa a este delito.

TESEU – Ariadna, a língua não tem mais vozes que as que lhe dita o coração, aonde se conserva eterno o original de tua beleza, melhor que a tua cópia no peito de Lidoro; e assim, não intentes recompensar uma fingida ofensa com um agravo verdadeiro.

ARIADNA – Para que não formes esse conceito contra a minha lealdade, saberás que, como a Lidoro aborreço apesar de seus extremos, me disse um dia que a causa de meus desvios era porque eu te adorava, pois sabia que tinhas triunfado do Minotauro. Considera tu que sustos estes para um coração amante. E para que, zeloso, o não comunicasse a El-Rei, fui mantendo a sua esperança com fingidos carinhos, até que te viesse avisar, para que com a fuga nos isentássemos deste iminente perigo que nos espera. Vê agora se pode ser desleal quem tão finamente sabe ser amante. Mas como vejo que só Fedra te merece cuidados, já não é lícito que eu te acompanhe, mas sim avisar-te do perigo, por não faltar ao juramento que dei, de defender a tua vida, em remuneração da que me deste no bosque. *(Quer ir-se).*

TESEU – Espera, Ariadna, que não é justo que, ao mesmo tempo que me deixas agradecido, te ausentes queixosa. Já sei o extremo do teu amor; não te persuadas que Fedra, sendo capaz para a minha veneração, o possa ser para a minha fineza; tu só, belíssima Ariadna, ocupas ditosamente todo o meu coração; de sorte que nele não há lugar que possa acomodar outro objeto.

ARIADNA – Mal te posso acreditar, quando esta noite te ouvi diferentes expressões. Deixa-me, ingrato, que esses afetos só são para Fedra.

TESEU – Farás com que desespere na incredulidade de meus extremos.

Cantam Teseu e Ariadna a seguinte
ÁRIA A DUO

TESEU – Tanto te adoro, tanto,
que em ondas de meu pranto
flutua o meu amor.
ARIADNA – Tu dizes que me adoras,
que gemes e que choras...
Eu não te creio, não!
TESEU – Pois, cruel, para que me creias,
rompe o peito, abre esta alma;
verás nele o meu ardor.
ARIADNA – Na tua alma e no teu peito,
que de enganos acharei?
TESEU – Somente firmezas.
ARIADNA – Nenhumas finezas
AMBOS – neste peito encontrarás.
TESEU – Oh, quem mostrar pudera!
ARIADNA – Oh quem te conhecera!
AMBOS – Ingrato(*a*), mas talvez
que as chamas que desprezas
em cinzas acharás. *(Quer ir-se Ariadna)*.

TESEU – Ariadna, não aumentes a minha desgraça com a tua sem-razão.

ARIADNA – Ai, que lá vem Fedra! Considera, ingrato, se há motivos para a minha queixa.

TESEU – Se Fedra vem, não será, pois eu...

ARIADNA – Não é agora tempo de ouvir desculpas; só tomara esconder-me, para que me não visse.

TESEU – No côncavo dessa coluna há um limitado gabinete, em que apenas cabem duas pessoas. Esconde-te, já que assim o queres.

ARIADNA – Observarei as tuas falsidades. *(Esconde-se)*.

TESEU – Qual será o intento de Fedra? Queira amor não se encontre com o de Ariadna.

Sai Fedra.

FEDRA – Teseu, parece que querem os fados seja eu sempre tutelar de tuas infelicidades, apesar de tuas ingratidões; e, porque uma vez empenhada a defender a tua vida não era justo desistisse deste nobre intento, sabe que já em palácio há claros indícios de que estás vivo; e assim, antes que El-Rei o chegue a saber, trata de ausentar-te com a brevidade possível.

TESEU – Será forçoso seguir o teu conselho.

ARIADNA – Não sei que intenta Fedra com tantos extremos!

FEDRA – E, pois não ignoras que eu fui o instrumento da tua vida na morte do Minotauro, para que se não venha a saber que eu dei armas contra esse monstro e sinta a indignação de El-Rei, será forçoso que me leves contigo para Atenas, se acaso o dar-te duas vezes a vida te pode fazer menos ingrato.

TESEU – *(À parte)* Notável empenho! Que responderei a Fedra, ouvindo-me Ariadna?

ARIADNA – *(À parte)* E que viesse Fedra pôr o último fim à minha desgraça!

FEDRA – Não me respondes? Porém, nada me digas, que se eu tivera os méritos de Ariadna, talvez fosse venturosa a minha súplica.

TESEU – Não crimineis a Ariadna, pois nela nunca encontrei uma só piedade, nem creio que uma lembrança; pois é sem dúvida que imaginará que estou morto.

ARIADNA – Bem fez Teseu em negá-lo.

FEDRA – Como pode ser que Ariadna ignore que tu és vivo, se na sala dos enganos esta noite, aonde te disse me esperasses, estando tu comigo?...

TESEU – Espera, que estás enganada, pois, não indo eu à sala dos enganos, mal te podia falar. *(À parte)* Oh, que incentivo para os zelos de Ariadna!

ARIADNA – Por isso o traidor me chamava Fedra, cuidando que falava com ela!

FEDRA – Se uma evidência intentas contradizer, já não tenho mais que te arguir; e assim, Teseu...

Sai Esfuziote.

ESFUZIOTE – Senhor, esconda-me por vida sua, que aí vem El-Rei; e, se me vê, certamente me enlabirinta para sempre. Ai, desgraçado Esfuziote!

TESEU – Que dizes? El-Rei vem aí?!

ESFUZIOTE – Sim, Senhor, El-Rei em pessoa! Escondamo-nos depressa.

FEDRA – Ai de mim, se El-Rei me vê; pois tenho inviolável preceito para não vir ao Labirinto! Teseu, esconde-me, antes que perigue a minha vida.

ARIADNA – Que notável desgraça, se El-Rei vir a Teseu!

TESEU – Este sim, que é verdadeiro labirinto em que me vejo; pois não há aonde esconder a Fedra, senão aonde está Ariadna! Que farão, se se encontram?

FEDRA – Teseu, esconde-me, e tu também, para que El-Rei não nos veja.

ESFUZIOTE – Senhor, esconda-me a mim sequer.

TESEU – Senhora, o lugar que há capaz para esse ministério apenas é suficiente para ocultar uma pessoa; e assim, um de nós há-de ficar exposto ao perigo de El-Rei nos ver.

ESFUZIOTE – Senhor, veja que Dédalo da outra vez disse que ali cabiam duas pessoas; e assim, eu e a Senhora Fedra bem cabemos nele.

FEDRA – Pois, Teseu, perigue a minha vida, antes que a tua; que melhor é conservar a um morto, que livrar da morte a um vivo.

ARIADNA – Oh, quanto invejo aquela fineza de Fedra!

TESEU – Não é razão, Senhora, que eu, por salvar a minha vida, exponha a vossa ao perigo; ocultai-vos, que o tropel já vem perto. *(À parte)* Perdoe Ariadna, que esta ação é filha do meu brio, e não do meu amor.

FEDRA – E se fores visto de El-Rei, que será de ti?

TESEU – O mais que pode fazer é matar-me; anda; esconde-te já.

ESFUZIOTE – E eu, Senhor, aonde? É boa graça!

Fedra esconde-se aonde está Ariadna e sai esta.

ARIADNA – Pois não há-de ser assim, que Teseu não há-de ficar exposto ao rigor de El-Rei. Teseu, se tu, por salvar a Fedra, expões a tua vida, eu, por redimir a tua, ofereço a minha. Anda; esconde-te aonde eu estava, que isto é saber conservar a tua vida.

TESEU – Ariadna, esse excesso transcende aos limites da maior fineza; torna a esconder-te; se não, por Júpiter soberano te juro que ambos aqui ficaremos.

ESFUZIOTE – Melhor será que nesse lugar me escondam a mim.

ARIADNA – Primeiro está a tua vida.

TESEU – A tua está primeiro.

FEDRA – Aquela é Ariadna; quem viu maior confusão? Ah, traidor Teseu!

TESEU – Oculta-te, Ariadna, que eu buscarei indústrias que me defendam.

ESFUZIOTE – Senhor, que diabo é isto? Não ouvem a estropeada já nessa casa vizinha?

ARIADNA – Como te não queres ocultar, quero conservar a minha vida, para defender a tua.

Esconde-se Ariadna. Sai El-Rei sem olhar para Teseu.

ESFUZIOTE – E agora, Senhor Teseu?

TESEU – Põe-te atrás de mim e segue os meus movimentos.

REI – Já parece que é tempo de perdoar a Dédalo o delito de fabricar a vaca para Pasife, pois bastante castigo é a dilatada e horrorosa prisão em que está, e com o motivo de sua liberdade, poder-me-á declarar todos os artifícios deste Labirinto, que muitos ignoro, como o de caírem as colunas na sala dos enganos.

TESEU – Em grande perigo estou! Valha-me todo o meu valor e toda a minha indústria!

ESFUZIOTE – Eu estou aqui tão agarrado como piolho ladro em sovaco de almocreve[235].

Vai-se El-Rei, voltando para Teseu.

REI – Eu me resolvo; eu vou a libertar a Dédalo. Mas, ai de mim! Que é o que vejo? Parece que se me figura naquela errada sombra a imagem de Teseu! Ai, infeliz, que os cabelos se me eriçam!

TESEU – *(À parte)* El-Rei se assustou de ver-me; pois o seu engano me valha.

ESFUZIOTE – Ah, Senhor, já que me leva ao reboque, não haja por ora vento em popa.

REI – Pálida sombra, vago horror da fantasia, que pretendes de mim?

---

[235] Condutor de animais de carga.

TESEU – Bárbaro Rei, esta que vês em corpórea forma é a alma de Teseu que, errante por este Labirinto, vem a noticiar-te da parte de Plutão, supremo juiz do Cocito, a tua malevolência e injustiça, com que tiranamente me usurpaste a vida, para que vivas na certeza que hão-de os deuses vingar a minha morte com o eterno suplício que te espera.

ESFUZIOTE – Ninguém faz papel de defunto como meu amo! Andar; se não somos duas almas em um corpo, ao menos somos dois corpos em uma alma.

REI – Não me horrorizes mais, funesto espetáculo; já sei que fui cruel para contigo.

ESFUZIOTE – Ai, que nos vamos submergindo! Não será a primeira vez que os amos levem consigo os criados ao Inferno!

Teseu com passos vagarosos se meterá na mina com Esfuziote, de sorte que a este o não veja El-Rei.

ARIADNA – Com bela indústria se livrou Teseu!

FEDRA – Notável ideia por certo!

REI – Quase que não tenho alentos para respirar. Olá da minha guarda, acudam todos!

Sai Tebandro e soldados.

TEBANDRO – Senhor, que te sucedeu? Que tens, que tão pálido o teu semblante nos informa de algum extraordinário sucesso?

REI – Não sei se poderei dizer o que vi, que o susto me privou do uso de todos os sentidos.

TEBANDRO – Conta-me, Senhor, a causa de tanto excesso.

REI – Tebandro, eu vi distintamente neste lugar uma agigantada, disforme e horrorosa visão, que, caminhando para mim com passos lentos e vagarosos, me disse com voz irada e rouca ser o espírito de Teseu, que da parte de Plutão me vinha notificar que, pela injusta morte que lhe dei, se me esperava um eterno tormento; e com isto, abrindo-se a terra com espantoso bramido, o sepultou em suas entranhas.

ARIADNA – Sempre o medo representa maiores os objetos.

TEBANDRO – É caso verdadeiramente notável! Vem, Senhor, a prevenir algum remédio a esse susto.

REI – Vamos, Tebandro! E vós outros, cerrai as portas deste Labirinto com travessas, além das guardas, para que fique inabitável para sempre este cadafalso, aonde ouvi a sentença de minha condenação.

TEBANDRO – Senhor, e Dédalo e o Minotauro?

REI – Morra Dédalo, pereça o Minotauro, pois um e outro foram instrumentos de meu precipício. *(Vão-se)*.

Saem da coluna Ariadna e Fedra.

ARIADNA – El-Rei (ai, desgraçada!) manda fechar o Labirinto. Como sairemos daqui?

FEDRA – A que fim, Ariadna, vieste ao Labirinto?

ARIADNA – A reposta que tu me havias de dar, se eu mesma te perguntara, servirá para a tua pergunta; mas agora não é tempo de averiguar zelos, quando maior causa nos aflige.

FEDRA – *(À parte)* Nunca me enganei que Teseu amava a Ariadna.

ARIADNA – Que dizes, Fedra, da nossa desgraça?

FEDRA – Deixa-me, que o coração dividido a sentir tantos golpes, não sabe distinguir os sentimentos.

ARIADNA – Aonde estará Teseu? Teseu?

Saem da mina Teseu e Esfuziote.

TESEU – Apenas saio de um perigo, quando logo me vejo em outro maior!

ESFUZIOTE – Não há coisa como servir a príncipes, que ainda depois de mortos amparam os criados.

ARIADNA – Não cuides, Teseu, que quero arguir-te de tuas falsidades, vendo aqui a Fedra; só quero dizer-te que El-Rei mandou fechar o Labirinto! Vê como havemos daqui sair, com tal brevidade que El-Rei nos não ache menos[236] em palácio; e, quando por mim o não faças, faze-o por Fedra, que tanto te merece.

---

[236] Espanholismo, proveniente da expressão "*nos eche de menos*", que quer dizer "que sinta nossa falta".

ESFUZIOTE – Ainda mais essa temos?! Em boa me vim eu meter!

FEDRA – Não te perturbes, Teseu, nem o meu respeito te obrigue a ser menos extremoso para com Ariadna, de cuja vida compadecido, vê como hás-de livrá-la; que pelo mesmo caminho que a libertares, me salvarei à sua sombra, só por te não merecer algum favor especial.

TESEU – Que farei em tão precipitado empenho?

ESFUZIOTE – Senhores, Vossas Altas Potências deixem por ora coisas que não vão, nem vem. Cuidemos em matéria de vir e ir daqui para fora, não tanto pelas Senhoras Infantas, quanto por mim, que tenho ocupação no Paço e não será razão que falte às obrigações de El-Rei, meu amo.

ARIADNA e FEDRA – Que dizes, Teseu?

ESFUZIOTE – Senhor, diga alguma coisa, pois já se não pode livrar das balas desta infantaria[237].

TESEU – Senhoras, não vos aflijais, que tudo terá remédio. Dédalo, Dédalo! Podes subir sem susto.

Sai Dédalo da mina.

DÉDALO – Que me ordenas? Mas que vejo! Aqui Vossas Altezas?!

ARIADNA – Dédalo, sabe que também viemos a ser companheiras na tua desgraça.

FEDRA – Quem te dissera que para nosso estrago fabricavas este Labirinto!

[237] Trocadilho cômico com as Infantas.

DÉDALO – São altas disposições dos deuses, que se não podem evitar.

TESEU – Dédalo, por sucessos de amor e fortuna se acham aqui hoje as Infantas; o Labirinto por ordem de El-Rei está fechado. Vê por onde havemos de sair.

DÉDALO – Por aquela mina, que vai ter às ribeiras do mar, como sabes, pois não há outro caminho.

TESEU – Bem advertiste.

DÉDALO – Oh, quanto me pesa haver fabricado este Labirinto!

ESFUZIOTE – O certo é que este labirinto em que estamos não o fabricou o Senhor Dédalo.

ARIADNA – Pois quem foi?

ESFUZIOTE – Foi o amor, que é maior arquiteto que quantos Dédalos há no mundo; e, se o querem saber, deem-me atenção a este

SONETO
Ser labirinto amor ninguém duvida,
que este rapaz cruel, cego frecheiro,
fabricou, como quis, mestre pedreiro,
dentro de uma alma um beco sem saída.

O magano tomou bem a medida;
valha-te o Diabo, amor, que és marralheiro[238],
pois por dar c'os narizes num sedeiro
no alfuje[239] de um rigor lança uma vida!

[238] Manhoso, preguiçoso. Já "sedeiro", na linha seguinte, é o rastelo.

[239] "Alfurja": saguão, mas também, em português antigo, local onde se despejavam os detritos domésticos.

Anda neste palácio, o mais difuso,
o triste coração num corropio,
porque todo o querer é parafuso;

e, por mais que da ideia arda o pavio,
em trocicolos[240] mil se vê confuso,
pois sempre no melhor se quebra o fio.

ARIADNA – Na tua tosca frase disseste verdades puras.

ESFUZIOTE – Que me faça bom proveito!

TESEU – E, pois está determinado o fugirmos pela mina, para nos transportarmos para Atenas, será preciso que vá Esfuziote logo com joias a fretar uma nau e que junto à mina tenha escaleres prontos para o embarque, sem que declare as pessoas que hão-de ir nela, e te esperemos na boca da mesma mina, ao dares senha, que será esta: *Venham, Senhores*. E, já que até o presente tens sido fiel, espero que com esta ação coroes a tua fidelidade.

ESFUZIOTE – Está muito bem, mas saibamos por onde hei-de ir eu.

TESEU – Por aquela mina, que vai dar ao mar.

ESFUZIOTE – Qual mina? Aquela aonde caiu semivivo o Senhor Minotauro! De burro, que eu tal vá!

TESEU – Tu bem viste que o Minotauro caiu morto, e já não podes ter medo, pois Dédalo, eu e tu estivemos agora nesta mina.

---

[240] Torcicolos.

ESFUZIOTE – Eu, com o medo, não sei aonde me meti, e era eu capaz naquela hora de meter-me pelo fundo de uma agulha, que tão pequeno me reduziu o pavor! Com quê, Senhor, eu não vou pela mina, que o mesmo será lembrar-me no caminho o Minotauro, que ficar tolhido sem poder dar um passo.

DÉDALO – Ó Esfuziote, parece mal dizer um homem que tem medo.

ESFUZIOTE – Pois os homens são os que têm medo, que, quanto aos animais, esses investem como brutos.

FEDRA – Pois como há-de ser, que cada vez se dificulta mais a nossa liberdade?

DÉDALO – Eu darei o remédio. Como Esfuziote recusa ir pela mina, irá pelo ar com umas asas que lhe hei-de pôr, e com elas voará tão seguro, como qualquer ave[241].

TESEU – Agora não tens desculpa; que dizes, Esfuziote?

ESFUZIOTE – Isso tem que cuidar! Vamos, que entendo que para isto de voar não serei desasado. Venha, Senhor Dédalo. *(Vai-se).*

DÉDALO – Tu verás o meu artifício. *(Vai-se)*

FEDRA – *(À parte)* Teseu, espero de ti que em Atenas saibas agradecer as finezas que me deves. *(Vai-se).*

TESEU – *(À parte para Fedra)* Tu verás a minha constância.

---

[241] Referência às asas com as quais, segundo o mito, Dédalo e seu filho Ícaro escapam do Labirinto.

ARIADNA – Enfim, me levas a mim e a Fedra? Já sei que vou experimentar, ingrato, as tuas inconstâncias. *(Vai-se)*[242].

TESEU – Não temas variedades no meu amor. Ó deuses soberanos, se for ingrato a Fedra, não me crimineis; pois não podendo ser esposo de ambas e a ambas devendo iguais finezas, razão será que fique isenta a vontade para preferir a Ariadna. *(Vai-se)*[243].

CENA VII

Bosque e marinha, como no princípio, e a mesma gruta, mas desfeita; e dizem dentro o seguinte

REI – *(Dentro)* Busquemos todos as Infantas! Não fique penha ou tronco, por mais inculto, que o nosso cuidado não investigue.

LIDORO – *(Dentro)* Ariadna, aonde te escondem os teus desvios?

TEBANDRO – *(Dentro)* Querida Fedra, quem te aparta dos meus olhos?

---

[242] Antecipação referente ao mito original, em que Ariadna é abandonada enquanto dormia na praia da Ilha de Naxos. Teseu foge com Fedra e Ariadna é encontrada e desposada por Dioniso, passando a fazer parte do seu coro de Mênades.

[243] Ao contrário de Jasão, em *Os encantos de Medeia*, Teseu não engana nenhuma das damas que lhe rendem afeto, estando definitivamente dividido pelas dívidas de honra que tem com ambas.

TODOS – *(Dentro)* Busquemos as Infantas, que não aparecem.

Saem Sanguixuga e Taramela.

SANGUIXUGA – Ai, desgraçada, que Fedra amolou as palanganas[244]!

TARAMELA – Que será de Vossa mercê, minha tia?

SANGUIXUGA – Que será de ti, minha sobrinha?

AMBAS – Que será de nós?

TARAMELA – E o pior é que o Senhor Teseu entendo fugiria com Ariadna e irá casar com ela. Ah, cruel Teseu que me deixaste burlada!

SANGUIXUGA – Antes cuido que irá casar com Fedra, que por mim em certa ocasião lhe mandou uma banda.

TARAMELA – Ou case com uma ou com outra, eu fiquei chuchando no dedo.

SANGUIXUGA – E eu sem embaixador, por meus pecados!

TARAMELA – E sobre não casar comigo, levar-me a joia que me deu Lidoro, que nela tinha o meu dote!

SANGUIXUGA – E a mim a joia que me deu Tebandro!

TARAMELA – Oh, príncipe de uma bala, os diabos te levem!

---

244 "Amolar as palanganas", literalmente, quer dizer "romper os bolsos". Na fala de Sanguixuga, é expressão popular que significa "ser lograda" ou, ainda, "fugir", acepção que acreditamos ser mais justa.

SANGUIXUGA – Oh, Príncipe de uma figa, má raios te partam!

TARAMELA – Eu sem Ariadna e sem joia!

SANGUIXUGA – Eu sem joia e sem Fedra!

AMBAS – Que será de mim?

Vai-se Sanguixuga e aparece Esfuziote com as asas, voando.

ESFUZIOTE – Nenhum alcoviteiro se viu até o presente em maiores alturas! Isto é que é subir de um pulo! Agora nada me dá cuidado com ter tantas penas, pois nunca me vi tão desempenado como agora, que me vejo com asas! Eu, em minha consciência, se quiser, daqui posso mijar no mundo.

TARAMELA – Cada vez que cuido naquele insolente, não sei como não desespero.

ESFUZIOTE – Ora olhemos agora cá para baixo. Muito grande é o mundo! Ai, que lá está Taramela feita mulher do mundo! Pois eu quero debicar[245] um pouco com ela. *(Chegando-se ao ouvido de Taramela)* Trás!

TARAMELA – Ai! Que besouro me anda pelos ouvidos?

ESFUZIOTE – Trás, tris!

TARAMELA – Xô, daqui, maldito besouro!

ESFUZIOTE – Adeus, Taramela! Trás!

---

[245] Trocadilho com a palavra "debicar", que remete à palavra "bico", mas também tem a acepção de "caçoar" ou "troçar".

TARAMELA – Quem me fala ao ouvido, se aqui não está ninguém?

ESFUZIOTE – Taramela, Teseu quer-te muito, mas é aqui para trás.

TARAMELA – Quem é que me fala? Isto é encanto.

ESFUZIOTE – Amor, que tem asas, é o que fala.

TARAMELA – Aonde estás?

ESFUZIOTE – Aqui atrás.

TARAMELA – Que é o que vejo?! Não és tu, fingido, ingrato Teseu, a quem sem dúvida os deuses, por castigo da tua falsidade, em ave te converteram? Anda cá para baixo, que eu te abaterei os voos.

ESFUZIOTE – A quem não atrairão aqueles doces reclamos? *(Desce)* Ai, Taramela, que já presa a minha liberdade no visgo dos teus olhos, deixo por eles o céu de Vênus, em que me vi, pela esfera de tua beleza, em que me abraso.

TARAMELA – *(À parte)* Agora, que caiu no laço, não me escapará.

ESFUZIOTE – Vês, tirana, que as tuas falsidades me fazem aéreo?

TARAMELA – Quem deu essas asas a Vossa Alteza?

ESFUZIOTE – Das penas que me dás, nasceram as asas que me vês.

TARAMELA – Bem sei que penas lhe causo, e só Ariadna lhe dá glórias.

ESFUZIOTE – Não queiras, traidora, com esse fingimento encobrir o engano de me mandares meter na vaca, para tomar degoladouros na espada de Lidoro, a quem duas vezes, mexeriqueira, intentaste entregar-me; vai-te, que já contigo não quero nada, pois para fugir de ti já tenho asas.

TARAMELA – *(À parte)* Quem me dera que viesse alguém, para o agarrar, e entregá-lo a El-Rei; porém, eu o deterei com carinhos. *(A Esfuziote)* Meu Senhor, meu esposo, meu bem, meu, meu...

ESFUZIOTE – Cal-te, cal-te! Taramela, que estás taramelando[246]?

TARAMELA – Eu... porque foi o meu amor... porque os zelos... mas eu prometo...

ESFUZIOTE – Nada, nada! Não admito lograções; já sou pássaro sáfaro[247], que não caio com essa facilidade.

TARAMELA – Olhe, verá que nunca mais, nunca mais.

Canta Esfuziote a seguinte ária e
RECITADO

Deixa-me, focinhuda Taramela,
que eu não quero cair nessa esparrela.
Tu, falsa; tu, cruel; tu, aleivosa,
com focinho de gata langanhosa[248],
querias em tais penas
que ficasse sem filho El-Rei de Atenas?

---

[246] Trocadilho com o nome de Taramela. "Taramelar" significa "falar muito".

[247] Difícil de amansar.

[248] Melada.

Pois um chuço[249] amolado que te passe,
uma faca flamenga que te espiche,
e uma bomba de fogo que te esguiche!

ÁRIA
Não há coisa como ver
uma destas presumida,
mui lambida e deslambida,
com mil chularias,
com caras de monos[250],
com unhas de harpias,
chupando-me o sangue,
roendo-me os ossos,
deixando-me em pele;
e depois de chuchado, roído e lambido,
me prega um gatázio[251]!
Isto é amor? Arre lá!
Hei-de amar-te? Isso não!

Sai Sanguixuga.

SANGUIXUGA – Ai, rapariga, que quanto mais buscam as Infantas, menos se acham!

TARAMELA – Tia, agora é tempo de recuperarmos as nossas joias; ajude-me a pegar neste traidor. Venham, Senhores!

Pegam em Esfuziote e lhe tiram as asas.

---

249 Lança de ponta de ferro.

250 Macacos.

251 Ambas as acepções de "gatázio" parecem fazer sentido aqui: "unha de gato" e "engano".

ESFUZIOTE – Dessa me rio eu, pois tenho asas *ad volandum*[252].

TARAMELA – Arranquemo-lhe as asas, para que não fuja.

SANGUIXUGA – Agora pagará tudo junto! Venham todos!

ESFUZIOTE – Não me agarres, Sanguixuga; olha que deito sangue.

TARAMELA – Venham, Senhores!

ESFUZIOTE – Cal-te, tola; não digas tão alto: *Venham, Senhores!*

TESEU – *(Dentro)* Ali disse Esfuziote: *Venham, Senhores!*. Vamos saindo.

Saem El-Rei e Tebandro por uma parte, e pela gruta irão saindo diante Dédalo, Fedra e Ariadna, que ficará com as costas na gruta.

REI e TEBANDRO – Que é isto aqui?

TARAMELA – Eis aqui quem te pode dar conta das Infantas.

ARIADNA – *(À parte)* Ai de mim, que Esfuziote nos entregou!

FEDRA – Fujamos outra vez.

DÉDALO – Oh, que desgraça!

ESFUZIOTE – *(À parte)* Desta ninguém se livra.

---

252 Para voar.

REI – Traidoras, aleivosas, víboras mal nascidas! Como, atropelando a minha autoridade e o vosso decoro, desta sorte... Porém a minha vingança suprirá as minhas vozes. *(Vai para ambas).*

FEDRA e ARIADNA – Não há quem me ampare?

TEBANDRO – Senhor, Vossa Majestade advirta...

TESEU – Anda, Ariadna, desvia-te da boca da mina; deixa-me sair.

ARIADNA – Espera um pouco.

REI – E tu, aleivoso Dédalo, como te atreves a ver a face do Sol e a minha, quando a tua insolência... *(Tambores dentro).*

Dentro – Arma, arma! Guerra, guerra!

Sai Lidoro.

LIDORO – Senhor, estamos perdidos, pois de improviso nos vemos cercados de uma poderosa armada de Atenas, e já muita parte dos soldados tem desembarcado.

REI – Pois vamos a resistir-lhes! Ai de mim, quantos golpes penetram este aflito coração!

ESFUZIOTE – Quanto folgo!

LICAS – *(Dentro)* Não fique pedra sobre pedra, que não prostrem as nossas armas.

LIDORO – Senhor, é já quase impossível a defensa, pois os esquadrões tudo vem destruindo.

TESEU – Que é o que ouço? Desvia-te, Ariadna.

ARIADNA – Espera; não te sobressaltes.

TEBANDRO – Vamos, Senhor, que o meu valor saberá castigar aos atenienses.

Ao querer entrar, saem Licas e soldados e tocam tambores.

LICAS – Dá-te à prisão, bárbaro Rei; pois já te não podes livrar do nosso furor.

REI – Oh, tirana sorte! Para isto me dilataste a vida, supremo Jove[253]?

LICAS – Para que vejas, tirano Rei, que Atenas sabe vingar a morte de seu príncipe Teseu, já que cruel, sem atenderes a seu régio sangue, o fizeste réu da mais afrontosa morte, em cuja vingança, destruído o teu reino, serás com toda a tua família levado para Atenas, a seres despojo de nossas armas.

TEBANDRO e LIDORO – Que desgraça!

ARIADNA e FEDRA – Que desventura!

ESFUZIOTE – Que régias folganças!

REI – Oh, quem tivera a Teseu vivo! Mas em vão são os meus desejos.

TARAMELA – Senhor, não se amofine, que Teseu está vivo, que é este que aqui está disfarçado em Esfuziote.

SANGUIXUGA – Sim, Senhor, eu e minha sobrinha só sabíamos este segredo.

REI – Deixai-me, tontas!

---

[253] Jove é outro nome para Júpiter, o nome do deus romano normalmente identificado a Zeus.

ESFUZIOTE – Calem-se, cavalgaduras!

LICAS – Anda, Minos.

Sai Teseu.

TESEU – Espera, Licas, que ainda sou vivo, pela piedade de uns generosos afetos que constantes me redimiram, livrando-me do Labirinto, e matando o Minotauro, cessando a ruína da nossa Pátria na extinção desse monstro.

LICAS – Deixa-me, Senhor, prostrar-me a teus pés! Que feliz nova para El-Rei, teu pai, que já te julgava morto aos impulsos dessa fera!

LIDORO e TEBANDRO – Que extraordinária maravilha!

REI – Teseu, a teus pés rendido te peço perdão da inumanidade que usei contigo; e, pois das tuas armas me vejo hoje prisioneiro, peço-te te compadeças de uma desgraçada velhice.

ESFUZIOTE – Vejam como desandou a roda; e o que vai de moer a ser moído, pois Minos de autor veio a ser réu!

FEDRA e ARIADNA – E se acaso, Senhor, as nossas lágrimas têm algum valimento na tua piedade, por elas perdoa a nosso pai.

TESEU – Senhoras, basta Minos ser vosso progenitor, para que não só lhe restitua a liberdade, mas também o reino; e para completar a minha e a sua fortuna, Ariadna há-de ser hoje minha esposa, em prêmio das finezas que lhe devo, e por não faltar ao juramento que lhe dei.

ARIADNA – Ditoso amor, que de tantos impossíveis se vê já triunfante!

FEDRA – *(À parte)* Infeliz eu, que malogrei tantas finezas!

REI – Venturosa bonança, depois de tanta tormenta! E agora em Teseu, que reputado por morto matou o Minotauro, se verifica o oráculo de Vênus, pois Teseu foi o vivo morto na extinção do Minotauro.

LIDORO – Ah, cruel Ariadna, que para ver a tua falsidade sustentaste de enganos a minha esperança! Logra tu esse himeneu, que eu irei sentir a minha sorte infeliz.

TEBANDRO – Senhor, nesta ocasião é justo que os favores de Fedra premeiem as minhas firmezas.

REI – Fedra, reconhece a Tebandro por teu esposo.

FEDRA – Não posso resistir ao teu império. *(À parte)* Obedeçamos aos fados.

LICAS – Oh, quanto estimo esta concórdia!

TESEU – E tu, Dédalo, vem comigo para Atenas a receber o prêmio de tua lealdade.

DÉDALO – Não quero mais prêmio que a tua felicidade.

SANGUIXUGA – E que ficasse eu lograda, sem joias e sem embaixador!

TARAMELA – Basta, Esfuziote, que me enganaste, dizendo-me que eras Teseu, para que tantas vezes enganasse a Lidoro!

ESFUZIOTE – Não se perdeu mais que o feitio; porém posso afirmar-te que te não enganei; pois quem duvida que, quando eu era menino, era infante? Porém, se só é príncipe quem faz ações generosas, eu quero fazer uma estupenda, que é casar contigo; porque em sua casa cada um é rei e senhor de seus narizes; venha a mão, Taramela, com licença dos Senhores.

TARAMELA – Do mal o menos; vá feito!

REI – Repitam todos, os vivas desta soberana glória.

TESEU – Esperai, que primeiro Lidoro me há-de dar um retrato de Ariadna, que fingidamente lhe deu.

LIDORO – Razão tendes! Tomai-o, que não é bem que conserve a verdadeira cópia de um falso original. (*Dá o retrato*).

TESEU – Agora, sim; publiquem todos o maior triunfo de Cupido, confessando que só o amor é o verdadeiro labirinto.

ESFUZIOTE – Vá de festa e folia, celebrando-se este desposório com harmoniosas vozes!

CORO

Numa alma inflamada
de amor abrasada
cruel labirinto
fabrica o amor.

Porém quem espera
o bem de uma fera,
acertos de um cego,
de um monstro favor?

POSFÁCIO

O LABIRINTO IBÉRICO DO AMOR

Carlos Gontijo Rosa

Novamente, o mito

Como foi possível ver da sumária versão do mito presente na Introdução e na leitura da peça, Antônio José da Silva toma o mito e o transforma, reinterpretando as ações de Teseu, Minos, Ariadna, Dédalo e todas as outras personagens que já estavam no mito. Ele o faz por ter, como interesse principal de sua escrita dramática, agradar ao público que ia ao Teatro do Bairro Alto para se divertir com suas comédias.

A peça, muito mais centrada no "heptágono" amoroso entre Lidoro, Ariadna, Teseu, Fedra e Tebandro do que na luta entre Teseu e o Minotauro, reflete o gosto do público português e espanhol dos séculos XVII e XVIII: ele queria se emocionar com uma história de amor cheia de intrigas, reviravoltas, planos mirabolantes de conquistas e burlas e rir e se alegrar com os chistes e brincadeiras dos graciosos e seus amores profanos com as criadas.

Portanto, se olharmos com atenção, todos os elementos da narrativa mitológica estão lá, mas equilibrados por outras medidas. Abaixo, apresentamos algumas relações entre a peça de Antônio José e o trajeto percorrido pelo mito na literatura da Península Ibérica, através de fábulas moralizadas e representações teatrais.

E o labirinto ibérico do mito

O mito em torno do Minotauro, emulado por Antônio José da Silva em *O Labirinto de Creta* (1736), é tema recorrente no teatro do Século de Ouro espanhol, sendo tratado diretamente nas obras dos expoentes da dramaturgia áurica Lope de Vega (1562-1635), Calderón de La Barca (1600-1681) e Tirso de Molina (1579-1648), além dos hoje menos conhecidos Juan Bautista Diamante (1625-1687) e Soror Juana Ines de La Cruz (1651-1695).

Para além de ser tema dos variados autores seiscentistas, podemos dizer que a tópica do "labirinto de amor" foi tomada como metáfora por praticamente todos os autores do período, como Miguel de Cervantes (1547-1616), na *comedia El laberinto de amor* (1615). Com rasgos cavalheirescos, ela é ambientada na Itália, no tempo contemporâneo do autor. Tipicamente tragicômica, a *comedia* apresenta intrigas amorosas, com consequências trágicas e cômicas. Não sendo mitológica, utiliza a metáfora do labirinto para concretizar a sua trama.

Da mesma forma, Antônio José da Silva, além de *O Labirinto de Creta*, utiliza a metáfora do "labirinto do amor" em diversos outros textos. Lope de Vega, em 1621, leva à prensa a sua versão de *El laberinto de Creta* [O labirinto de Creta], numa releitura que acrescenta encontros, desencontros e personagens amorosas, ao gosto do público seiscentista. Mantém intacta, entretanto, a estrutura central da narrativa até o final do segundo ato, ficando Ariadna abandonada numa ilha, enquanto Teseu ruma a Atenas com Fedra (como de fato acontece no mito). O terceiro ato, completamente ao gosto seiscentista, é composto por uma cena pastoril em que tudo termina bem. Este ato é pura invenção, se comparado ao mito clássico. Dentro da ideia de escrita dramática do período, isso era melhorar. Há lógica no argumento, uma vez que, para os autores, o gosto do público era de grandiosidade.

O texto de Lope fica mais atrativo, na medida em que insere elementos facilmente reconhecíveis pelo seu público, sem abdicar de uma linha mitológica precisa. O melhor tratamento dramático do mito do Minotauro, ao que parece, quer dizer ampliar e explorar qualquer detalhe que o mito possa propor em uma cena inteira.

Também Calderón de La Barca usa o mito de Teseu em sua obra dramática. Ele escreve um texto chamado *Los três mayores prodígios* [Os três maiores prodígios], em que, em cada Jornada (que é como os espanhóis do período chamavam os atos), apresenta uma história mitológica: Jasão, Teseu e Héracles são os heróis escolhidos. Portanto, a Segunda Jornada é dedicada ao mito do Minotauro. Alguns críticos acreditam que esta não tenha sido uma boa ideia de Calderón, pois, com tão pouco espaço, se torna impossível a inserção de episódios que possam enriquecer a fábula.

Entretanto, apresentando um ritmo muito mais dinâmico, Calderón elabora uma intervenção ágil e sucinta do mito principal. Seu enredo apresenta vários aspectos estruturais de construção da fábula em sintonia com as escolhas de Antônio José da Silva, como quando o criado é chamado a substituir um dos mancebos para o sacrifício do Minotauro, que fugiu – recurso usado por Calderón, sobre Teseu e Pantulfo, e depois retomado por Antônio José, apenas com o *gracioso* Esfuziote.

Outra peça importante para pensarmos na trajetória do mito até Antônio José é *Amor es más laberinto* [Amor é maior labirinto], dos mexicanos Soror Juana Ines de La Cruz e Juan de Guevarra. A intriga das personagens cômicas, nesta peça, é menos desenvolvida, dado o intrincado emaranhado da intriga amorosa central.

Este texto certamente teve circulação na versão impressa na Lisboa de Antônio José da Silva, que toma de empréstimo várias passagens cênicas. De fato, as versões mexicana e portuguesa apresentam muitas similaridades, no que concerne à estrutura da peça. Especialmente original, dentre as versões do mito aqui tratadas, é a cena do baile dos mascarados, recorrente em ambas, indicando, no mínimo, a semelhança entre os gostos do público de Portugal e Espanha.

Outro aspecto que perpassa as três versões do mito é a inserção do enamorado Lidoro em *Los tres mayores prodigios*, *Amor es más laberinto* e *O labirinto de Creta.* Sem jamais participar do final feliz obrigatório na estrutura tragicômica, a personagem Lidoro, em Antônio José, tem sorte por simplesmente permanecer vivo até o final da peça, pois, nas anteriores, ele é morto por Teseu. Lidoro tem seu amor não-correspondido por Fedra, em Juana Ines, enquanto que suspira por Ariadna em Calderón e Antônio José.

Além das cenas do baile de máscaras e dos encontros às escuras, subsequentes ao baile, também há o emprego de personagens comuns em *Amor es más laberinto* e *O labirinto de Creta*, nunca dantes vistas em associação ao mito, como Tebandro e Licas. Em ambas as peças, Licas é o embaixador de Atenas em Creta, responsável por entregar os jovens ao Rei Minos, e que volta a Atenas para preparar a guerra contra Creta, quando pensa que Teseu morreu. Em Antônio José, além desta função, também se insere na intriga secundária, sendo alvo das armações de Esfuziote e dos suspiros de Sanguixuga.

Já o Tebandro do Judeu pouco se assemelha ao Tebandro mexicano. Em *Amor es más laberinto*, este é apenas um subordinado do Rei Minos, sempre servindo aos mandos e desmandos do monarca. Em Antônio José, é elevado à categoria de príncipe e amante desprezado de Fedra, mas com quem termina por se casar. Entretanto, só a utilização do mesmo nome, entre tantos nomes possíveis, associada às outras coincidências entre os textos, já é indício de que o nosso comediógrafo tomou conhecimento da obra de Soror Juana Ines de La Cruz.

Por último, antes de passar à análise mais específica da caracterização mitológica de algumas personagens de *O labirinto de Creta*, com o intento de perceber as permanências e as alterações dos caracteres gregos nos *galanes*, gostaríamos de destacar a personagem Baco, de *Amor es más laberinto*. Assim como Lope de Vega acrescenta Oranteo, para que a dama Ariadna não fique sem seu galã, também Juana Ines acrescenta o par Ariadna-Baco, nos mesmos moldes. Ariadna, em ambas as peças – *Amor es más laberinto* e *El laberinto de Creta* –, é uma mulher enamorada de seu enamorado, até que se lhe mostra Teseu. A partir de então, Ariadna dirige o foco de sua afeição para o herói ateniense, duque ou príncipe, e só após a rejeição e abandono deste, volta a pensar com apreço no seu primeiro amante – nas peças de Lope de Vega e Juana Ines, retomando sua condição inicial.

Esta parte do enredo é bastante diferente em Antônio José, uma vez que Ariadna, em *O labirinto de Creta*, termina por se casar com Teseu, final diametralmente oposto ao destino da princesa cretense no mito original e em todas as suas releituras. A justificativa para esta liberdade poética do autor encontra-se explicitada no argumento:

> Até a saída de Creta logrou Ariadna as primeiras estimações em Teseu, ainda que ao depois preferisse a Fedra, deixando a Ariadna em uma deserta ilha; *porém, como só tratamos nesta obra dos sucessos de Teseu em Creta, por essa razão se manifesta a Teseu mais amante de Ariadna que de Fedra*. – O motivo que se toma para o entrecho da presente obra é o considerar-se a Teseu já devorado pelo Minotauro;

> e, sendo reputado por morto, manter-se este engano até o fim, triunfando do furor do Minotauro, do enleio do Labirinto e das iras de Minos (grifos nossos).

Em busca do casal perfeito

Dentre todos os textos teatrais aqui tratados, apenas em *O labirinto de Creta*, de Antônio José da Silva, encontramos um final feliz entre Teseu e Ariadna. Neste texto, Fedra fica conformada com a sua situação final de esposa de Tebandro. No caminho inverso, Ariadna termina abandonada apenas no texto de Calderón – talvez justamente por condensar toda a história em só uma Jornada, convertendo o seu final em um grande monólogo trágico.

Em todas as outras peças, seguindo os preceitos tragicômicos, há um final feliz, com a realização de casamentos e festejos, reunindo em cena o maior número de casais felizes.

Já justificado, no argumento, porque Teseu se casa com Ariadna, entendemos também que este final feliz inusitado só o é para quem espera ver o mito decalcado na cena. Se nos atemos ao universo proposto pelo autor, é sempre indicado o interesse de Teseu por Ariadna, em contraste ao agradecimento que sente por Fedra. Especialmente na cena do Minotauro, um dos grandes momentos da peça, em que, antes da entrada do monstro, Teseu recita e canta em homenagem à princesa. No que tange à Fedra, pelo contrário, logo após o Minotauro ser estrangulado e morto por Teseu, há a constatação de que os seus artifícios não foram necessários para derrotar o monstro.

Embora o herói também não chegue a usar o fio de Ariadna, porque conta com Dédalo a seu lado para guiá-lo pelo Labirinto, metaforicamente o fio irá conduzi-lo para fora do Labirinto do amor, levando-o até Ariadna.

Temos, portanto, um herói muito mais valoroso que o seu predecessor Jasão de *Os encantos de Medeia*, pois que este usa os artifícios que Medeia empenha, juntamente com seu amor, enquanto que Teseu não o faz, corroborando a representação mental deste enquanto herói digno, vigente desde a Grécia Antiga.

A comparação do Teseu português com aquele de Lope de Vega não seria de todo proveitosa, uma vez que "o dramaturgo [espanhol] aplica um cuidadoso processo, que vai marcando seus aspectos mais negativos para convertê-lo, de certo modo, em um anti-herói" (MARTÍNEZ-BERBEL, 2003, p. 187). Mais cabível, portanto, seria observar os recursos utilizados por Lope em comparação ao Jasão de *Os encantos de Medeia* (1735), também de Antônio José.

Contudo, a exaltação da figura do herói, por vezes, é impossível de ser ignorada, porque "estas características são dadas ao dramaturgo pelas fontes e Lope não pode fazer outra coisa, se quiser manter suficiente rigor, que tentar ser o mais completo possível na recriação do ambiente e personagens míticas" (MARTÍNEZ-BERBEL, 2003, p. 188). Da mesma forma, isso vale para os outros autores que, todavia, não alteram profundamente o caráter de Teseu. Em todas as peças, percebemos que a personagem de Teseu segue os preceitos *galanes* do Século de Ouro, sem fugir da estrutura mítica de seu caráter.

De fato, este mito é muito desenvolvido ao longo do tempo. Uma vez que Teseu é o herói ático por excelência, os poetas atenienses muito exploraram as suas façanhas, sendo adotados, para ele, os mesmos emblemas de Héracles – a pele de leão e a clava. É em Ovídio, porém, e mais especificamente nas *Metamorfoses*, que sabemos a base de muitas narrativas moralizantes do período medieval e renascentista a respeito deste mito; a parte da narrativa tratada por Antônio José em *O labirinto de Creta* se resume a poucos versos:

> Quando aqui aprisionou a dúplice figura de touro e jovem,
> por duas vezes o alimentou com sangue de Acte. A terceira
> das levas (eram sorteadas cada nove anos) venceu o monstro.
> E quando, graças ao auxílio de uma jovem, a difícil porta,
> jamais por alguém trilhada, foi achada recolhendo um fio,
> logo o filho de Egeu, raptando a filha de Minos, se fez à vela
> rumo a Dia. E nesta praia abandonou, cruel, a companheira.
> (*Metamorfoses*, VIII 169-175).

Desenvolvida por autores como Baltasar de Vitoria (séc. XVII), Jorge de Bustamante (séc. XVI) e Pérez de Moya (1513-1597), a fábula ganha contornos morais e é ampliada por eles, a partir também de outras fontes, como as *Fábulas,* de Higino e a *Biblioteca,* de Apolodoro. Em *Philosofía secreta de la gentilidad* [Filosofia secreta do paganismo], Pérez de Moya já ajusta o entendimento do leitor sobre a personagem de Teseu de acordo com os valores dos galãs ou, por outra, dos exemplos de hombridade espanhóis:

> No terceiro ano, foi sorteado Teseu, filho do Rei Egeu (segundo Plutarco), *jovem muito esforçado e valente*, e quando já estava em Creta, onde haviam de enviá-lo ao Minotauro, viu Ariadna, filha do Rei Minos. E, ao ver *sua gentileza e sabendo que [Teseu] era filho de rei*, enamorou-se dele e, tendo piedade que *tão gentil homem e valoroso* padecesse tão desastrada morte, desejando libertá-lo, dizem que pediu conselho a Dédalo. Assim, por indústria sua, deixando Teseu à porta do labirinto um fio de um novelo que Ariadna lhe deu, e levando consigo o novelo, entrou no labirinto e lutou com o Minotauro e, alcançada a vitória, saiu seguindo seu fio na mão, com muita glória.

Outros dizem que depois que o Sol declarou o adultério de Vênus e Marte, Vênus se mostrou muito cruel contra os descendentes do Sol. Por isso, Ariadna, neta do Sol, foi menosprezada por Teseu e a Pasifae, sua mãe, fez com que sentisse ardor e desejo pelo touro. (*Philosofía secreta*, IV, 26, p. 484, grifo nosso).

Pela pouca importância que Pérez de Moya atribui à passagem do abandono de Ariadna, podemos entender que este já era um mito conhecido dos seus leitores. Além disso, percebemos que esta parte não era importante para o entendimento moral do mito. Tão pouco relevante que Antônio José sequer a reconhece em sua reconstrução.

Ademais, Pérez de Moya ainda agrega uma aplicação moral ao mito, atribuindo a Teseu o *status* de "hombre perfeto", o que seria uma contradição, se o mitógrafo desse importância à parte do mito em que Teseu simplesmente abandona Ariadna numa ilha deserta:

> Através de Teseu é entendido o homem perfeito, que segue o fio do conhecimento de si mesmo. Este [o fio] sai do perigoso labirinto, o qual, não soltando jamais da mão, entende que o corpo é mortal e transitório, mas a alma é imortal e eterna, criada para o céu, e que o de lá é sua terra, aqui é o seu desterro. Com esse conhecimento de si, vencido o terrível Minotauro, que é sua própria e desordenada concupiscência, sai do mundo com maravilhosa vitória. (*Philosofía secreta*, IV, 26, p. 485, grifo nosso).

Ainda outro fato que atesta, nos textos clássicos, a honradez do caráter de Teseu é a justificativa que Higino dá quando o herói abandona Ariadna na ilha de Naxos. Não visto até agora em nenhuma outra leitura do mito, é uma questão importante para a legitimação do herói enquanto tal, uma vez que ele não pode ser representado, nos séculos XVI-XVIII, como alguém de caráter duvidoso: "Teseu, detido por uma tempestade na ilha de Dia, pensou que isso poderia ser uma censura a ele se trouxesse Ariadna para Atenas, então ele a deixou dormindo na ilha de Dia" (*Fábulas*, XLIII).

Mais detalhado é o relato de Baltasar de Vitoria, que, no *Teatro de los dioses de la gentilidad* [Teatro dos deuses do paganismo], dedica um capítulo inteiramente à figura de Teseu (I, 4, XXI), dizendo que "o feito mais extraordinário e de maior renome que Teseu empreendeu foi vencer e matar o Minotauro" (p. 434). A narrativa de Vitoria é ambígua quanto ao caráter do herói. No começo da narrativa, dá indícios da boa conduta de Teseu:

> Havendo pagado alguns anos, os de Atenas clamaram que o Rei também fosse tributário e enviasse a seu filho e, fosse por sorte ou por eleição, porque dizem que Teseu por vontade própria, resistindo à do pai, quis ir até Creta para livrar sua cidade de um jugo tão infame e tão penoso, como disse Isócrates, preparou sua Armada para a partida. (*Teatro de los dioses*, p. 435).

Por outra parte, mostra uma carta que Ariadna poderia ter escrito a Teseu, saída da pena de Ovídio, em versos, e depois na sua própria narrativa, em prosa:

> Será por ti referido com pompa,
> Como deste a morte ao homem-touro,
> Quando o confuso labirinto.
> Com majestade e decoro amplificados
> Conta depois, que fui por ti deixada
> Sozinha na ilha onde gemo e choro:
> Que não hei de ser, pois não é justo, apagada
> De tuas empresas, pois fui troféu
> O mais famoso que há em tua jornada.

> Não se contentou Teseu com esta empresa tão gloriosa, senão que, para mais se vingar de Minos, lhe roubou naquela noite as duas filhas, Ariadna e Fedra, como havia prometido a elas, e as embarcou de volta a Atenas. Vindo pelo mar, feliz com a vitória e com as presas tão bonitas que trazia, veio se entretendo com Ariadna, se aproveitando de seus amores, mas, cansando-se dela, deu ordem que, chegando à Ilha de Coo para se refrescar e descansar, a deixassem ali ludibriada, como o fez (*Teatro de los dioses*, p. 436-437).

Também o Licenciado Antônio Ferreira (1528-1569), poeta português do Quinhentos, compõe um poema sobre o abandono de Ariadna e a falsa honradez de Teseu, atestando que a ambiguidade de seu caráter era reconhecida também em solo português:

Cantará como em vão chora, e suspira,
à vista da cruel nau que inda aparece,
aquela que Teseu por seu mal vira;

como se queixa ao mar, como esmorece
a moça ali deixada em tanto medo;
entretanto o cruel desaparece.

Estava a triste Ariadne no penedo,
dũa parte mar bravo, d'outra feras:
ditosa morte, se vieras cedo!

– Cruel Teseu, cruel – diz –, que fizeras
a um teu cruel imigo, se a quem t'ama
assi deixas ao mar às bestas feras?[254]
(Écloga 8: Flóris, v. 79-90).

Caso é que, se Lope de Vega aproveita estes rasgos de má conduta de Teseu ao abandonar Ariadna, normalmente relegados a segundo plano de seu caráter, para compor a sua personagem, os outros dramaturgos do período não destituem a heroicidade de Teseu.

Em Antônio José, há a aceitação completa da representação mental da figura de Teseu como o herói perfeito. A sua heroicidade e a sua *galantería* são tão extremadas que colaboram no imbróglio do enredo do texto dramático e convertem-se em graça e comentários argutos do *gracioso* Esfuziote. Teseu, nesta peça, não ultrapassa o estatuto do *primero galán* perfeito,

---

[254] Poema citado por Baltasar de Vitoria, no capítulo 22, "De Pasifae", do livro 5, "De Apolo", em *Teatro de los dioses de la gentilidad* (I, 5, 22, pp. 630-631).

sendo corajoso, bravo, generoso, honrado, por vezes ciumento e sempre enamorado de sua dama. Mesmo que, em algumas cenas, Antônio José torne ambígua a sua relação com Fedra, ao final compreendemos que Ariadna é seu único, verdadeiro e grande amor.

De fato, Teseu em nenhum momento dá quaisquer esperanças de sentir algo além de agradecimento por Fedra. Se a segunda dama compreende que Teseu lhe tem amor, são as confusões e quiproquós da peça que a levam a entender assim.

Entre tantas emulações, original para o mito é a cena em que o Rei Minos pensa que Teseu é um fantasma[255], na cena 6 da Parte II. Esta cena está intimamente ligada ao mote inicial de *O labirinto de Creta*, pois que, quando, na segunda cena da peça, o Oráculo canta sobre a morte do Minotauro, fala-se de vivos e mortos: "Quando desse biforme monstro horrendo / vires ser alimento combustivo /um vivo morto e um morto vivo".

Esfuziote, fingindo ser Vênus, estabelecendo o paralelismo das tramas "alta" e "baixa", canta o seguinte para Taramela: "Teu marido será em teu conforto / um morto vivo e um vivo morto". Já Teseu, após o naufrágio, havia sido dado por morto. Quando se descobre que ele está vivo, vai ao Minotauro e é dado novamente por morto. O jogo entre o vivo e o morto estabelece-se desde o começo da peça, e só se esgota às últimas réplicas.

---

[255] Este é um recurso muito usado no teatro, de maneira geral. Entretanto, até onde pudemos constatar, é inovador no que concerne às releituras do mito de Teseu.

Mesmo no baile dos mascarados, quando as confusões de cena não relembram a vida e a morte, o Rei acrescenta um comentário que remete o espectador ao mote:

> REI: Lidoro, descansai, que vos prometo averiguar quem foi o que dançou com Ariadna; pois, a não serdes vós, como dizeis, e não vermos retirar-se o outro que se supõe, não sei quem possa ser, salvo se for o vivo morto que o Oráculo predisse para total extinção do Minotauro.

Assim como Teseu, ao contrário do que acontece aos últimos *galanes* de Antônio José, é uma personagem completamente de acordo com os preceitos para a caracterização do seu tipo, também a Ariadna de *O labirinto de Creta* não escapa aos preceitos da *primera dama*.

Pouca atenção é dada ao caráter de Ariadna nos textos mais antigos, via de regra atribuindo-se-lhe apenas o *status* daquela que amou Teseu, ajudou-o em sua conquista e foi abandonada sozinha numa ilha. Contudo, alguns apontamentos mais específicos de seu caráter já podem ser encontrados em textos como as *Fábulas* de Higino:

> Quando Teseu veio a Creta, Ariadna, filha de Minos, amou-o tanto que traiu seu irmão e salvou o estrangeiro, ou então ela mostrou

> a Teseu o caminho para sair do Labirinto. Quando Teseu entrou e matou o Minotauro, através do conselho de Ariadna, ele saiu desenrolando o fio. Ariadna, por ter sido leal a ele, foi levada por Teseu, com o intento de casar com ela (*Fábulas* XLII).

Ainda que apresente uma visão um pouco diferente da personagem, o excerto acima não foge do padrão da *dama*, ao que os mitógrafos seiscentistas, aqui tratados, pouco acrescentam. Ela sofre ao ser abandonada por Teseu mas, uma vez que esta parte do mito não é trabalhada por Antônio José da Silva, não a destacaremos, pois não colabora para a compreensão da Ariadna portuguesa.

Dentre os textos referidos, a única Ariadna que foge ao padrão estabelecido pela tradição é a mexicana, de *Amor es más laberinto*. Na verdade, a personagem continua a mesma, mas a situação da peça como um todo, muda. Se a motivação inicial é diferente, todo o mito se altera sensivelmente na releitura (MARTÍNEZ-BERBEL, 2003).

Podemos atestar esta afirmação em quase todas as personagens, uma vez que nenhuma situação dramática é igual a outra. Com a Ariadna de Soror Juana Ines, entretanto, a questão é mais palpável, porque Teseu, nesta peça, está sempre enamorado de Fedra e tenta ser galante com Ariadna, ao que ela entende como amor, até chegar o momento em que é dado ao herói escolher entre o amor e a gratidão por quem o salvou da morte certa. Ou seja, numa inversão das damas, é o mesmo que acontece em *O labirinto de Creta*: Fedra acha que Teseu está enamorado por ela, até que ele tem que escolher, e escolhe Ariadna.

Outra questão importante nos textos dramáticos espanhóis e já comentada acima, que não consta do texto português, é que Ariadna já se encontra enamorada de outro no começo das obras de Soror Juana Ines e Lope de Vega. Em Calderón, como a ação se inicia *in media res*, não se pode perceber propriamente uma relação de aceitabilidade entre Lidoro e Ariadna, embora Lidoro deixe claro que recolhe os cativos atenienses por amor de Ariadna. Ela, no momento em que Lidoro chega para apresentar os cativos ao Rei, emite o comentário ambíguo: "A compaixão move-me a seus cuidados". A Ariadna de Antônio José, entretanto, se tem alguém – Lidoro, aqui Príncipe de Epiro – que lhe renda amor, não o corresponde de maneira alguma e, muito pelo contrário, despreza o pretendente.

Dentre as Ariadnas, portanto, aquela composta por Antônio José em *O labirinto de Creta* é a que mais se ajusta ao caráter contado desde os tempos antigos, só possível dentro da estrutura tragicômica porque o Judeu altera drasticamente o final da peça. Ao terminar casando Teseu e Ariadna, torna desnecessário que se houvesse constituído um amante para proporcionar o final feliz necessário à tragicomédia. O contrário, portanto, acontece com Fedra. Para não ficar sozinha, é-lhe atribuído o Príncipe de Chipre, Tebandro.

Uma vez que temos duas princesas enamoradas, apenas um herói – objeto do amor das princesas –, e dois amantes desprezados, Antônio José constitui um quadro pouco típico nas tragicomédias até então encenadas, embora comum na narrativa deste mito. Observamos em Prades (1963), quando do estudo de alguns autores espanhóis, que a organização básica dos pares elevados é dois *galanes* enamorados de uma mesma *dama*, com outra *dama* enamorada de um dos *galanes*.

Ao colocar a disputa entre as senhoras, Antônio José muda o foco de tensão e conflito da peça. Ao acrescentar dois *galanes secundarios*, desprezados pelas respectivas *damas*, abre a possibilidade de qualquer final para sua obra, inclusive a surpreendente e pouco previsível alteração do tema mítico.

Assim, embora não torne óbvia a decisão de Teseu em ficar com Ariadna ao final da peça, como é óbvia a decisão de ficar com Fedra em *Amor es más laberinto*, por exemplo, o Judeu acrescenta um foco de tensão ao mito principal, aumentando a expectativa do espectador para o final da obra.

Fedra, irmã de Ariadna, é citada no mito de Teseu como sua esposa, quando este já é velho e o seu filho Hipólito é um jovem mancebo. Fedra, por vingança de Afrodite contra Hipólito, é compelida a se apaixonar por ele, ignorando seu grau de parentesco – madrasta e enteado – e seu casamento com Teseu. Esta história foi muito glosada, desde Eurípides até os dias de hoje, passando por Sêneca (*Fedra*, séc. I d.C.), Racine (*Fedra,* 1677) e Sarah Kane (*O amor de Fedra*, 1996), dentre outros.

Entretanto, só mais recentemente, com os comentadores, temos a inserção de Fedra no mito, atribuindo-lhe a entrega do entorpecente, para adormecer o Minotauro: "sua irmã Fedra deu-lhe uma sopa com tais ingredientes que, imediatamente que a comesse o monstro, logo adormeceria, para que, vendo-o adormecido, investiria contra ele e o mataria" (*Teatro de los dioses*, pp. 435-436). E na fuga: "e feito tudo isso como se poderia desejar, saiu uma noite com as duas Infantas, Ariadna e Fedra, e, alçando velas, protegeu-se mar adentro, e deixou enganada a Ariadna na ilha de Choo, ou Naxos" (*Teatro de los dioses*, p. 630).

Se, nos textos clássicos, Teseu não apresentava motivos para abandonar Ariadna, nos textos espanhóis, passa a ser uma escolha por Fedra:

> TESEU: Se é forçoso escolher,
> E não está nas mãos do homem
> O querer, nem o esquecer,
> Tua formosura me perdoe,
> Que é por força, e não escolha:
> Vem comigo. *(Toma Fedra pela mão).*
> [...]
> Que dúvida? Que ainda que me chamem
> De ingrato, hei de ser amante;
> Todo o pudor me perdoe,
> Que as paixões de amor
> São soberanas paixões;
> Acusem-me os atentos,
> Que a mim me basta que tomem
> Minha desculpa os que, amando,

Deixam suas obrigações.
(Vai-se e leva Fedra consigo).
(Los tres mayores prodígios, p. 33)

TESEU: Que adoro a Fedra, Fineu,
E que de um justo desejo
Não é certo que te escandalizes.
No caminho pelo mar,
De Fedra me enamorei.
(El laberinto de Creta, II, p. 22)

Fedra disputa o amor de Teseu com Ariadna, sabendo ou não que sua irmã também ama o herói ateniense. Entretanto, na peça *El laberinto de Creta*, segundo Martínez-Berbel, ela, "apesar de ser originalmente uma personagem mitológica, nesta obra, Lope usou apenas seu nome" (2003, p. 195). O que explica sua reação, quando é levada por Teseu, abandonando Ariadna na praia deserta:

TESEU: Dorme Ariadna?
FEDRA: Já dorme.
TESEU: Pois Fedra, tão adorada
De minha alma e de meus olhos,
Levanta-te.
FEDRA: Que palavras
São estas?
TESEU: Rápido verás
Que amor deves: levanta.
Eia, gregos generosos,
A embarcar! Alto: à Praia!
FEDRA: Que dizes?

TESEU: Que irás nos meus braços.
FEDRA: Irmã, irmã, Ariadna!
Leva-a nos braços e Ariadna desperta.
(*El labirinto de Creta*, II, p. 24).

Já em Antônio José, Ariadna e Fedra disputam a atenção de Teseu. Esta disputa não é consciente para Fedra, mas fica muito clara para o público, que vê os esforços de amor que ambas as princesas fazem por Teseu. Ariadna sabe que Fedra ama o herói e faz por seus zelos. Já Fedra, desconhecedora do amor entre Teseu e Ariadna, só descobre na cena 4 da parte II, de forma terrível, e ainda assim, tenta roubar o namorado da irmã, cuidando que resguarde sua vida.

Nesta mesma cena, sobre um possível ataque do Rei Minos contra Teseu, ambas disputam para salvar a vida do herói, ficando ele devedor de seus favores. A tensão entre a escolha de Fedra ou Ariadna chega ao máximo no final da cena 6 da Parte II, penúltima cena da peça, quando Teseu decide levar as duas irmãs em fuga para Atenas. Neste diálogo, por momentos, acredita-se que o mito seguirá como o original, sendo Fedra escolhida, em detrimento de Ariadna:

FEDRA: Teseu, espero de ti que em Atenas saibas agradecer as finezas que me deves. *(À parte e vai-se).*

TESEU: Tu verás a minha constância. *(À parte para Fedra).*

ARIADNA: Enfim, me levas a mim e a Fedra?
Já sei que vou experimentar, ingrato,
as tuas inconstâncias. *(Vai-se).*

Nesta passagem, a possível antecipação do final previsível, uma vez que pertencente à tradição, leva o público a um certo clímax, porque a estrutura da peça, até o momento, beneficia o amor de Ariadna, fazendo-a cair mais no gosto do público.

A peça já caminha para o final e o interesse do espectador não pode se perder, porque as resoluções *deus ex machina* típicas deste teatro o pedem. A fala seguinte de Teseu, embora explicite a sua escolha amorosa, não apazigua a expectativa do público, aguçando ainda mais a sua curiosidade. Decidido que Ariadna é seu par romântico para encontrar a saída deste Labirinto de Amor, Teseu volta à luz – quando da tomada de Creta pelos atenienses – e, numa só fala, perdoa Minos, restitui-lhe o Reino e pede Ariadna em casamento.

Fedra, entre as *segundas damas* das óperas joco-sérias de Antônio José, é aquela que mais mostra o desgosto quanto ao desfecho a si atribuído. Sempre em aparte, ela apresenta os seus sentimentos em relação às bodas de Teseu e Ariadna e à imposição de casamento com Tebandro.

***

A trajetória do mito apresentada aqui não limita e nem esgota a análise de *O labirinto de Creta* por diversas outras perspectivas. O caminho do mito visa, antes de tudo, compreender por que o dramaturgo empreendeu tantas e tamanhas mudanças, quais foram suas motivações e seus objetivos. A partir da emulação de autores clássicos e barrocos, Antônio José compõe uma obra única, digna de ser lida e relida ao longo do tempo, como retrato de sua época e esboço de paixões e sentimentos que extrapolam aquelas representações no Teatro do Bairro Alto.

GLOSSÁRIO

Mitos e Lugares da Antiguidade Clássica

Deve-se perceber que, como era corrente no período, Antônio José faz alguma confusão entre os nomes gregos e romanos das divindades e heróis – totalmente aceitável dentro dos seus parâmetros de escrita e de acordo com o conhecimento de seu público acerca do tema. Entretanto, leitores contemporâneos, menos habituados ao imaginário mítico greco-romano, devem se precaver para não fazer confusão entre nomes e histórias. Para tanto, apresentamos um pequeno glossário que visa, de maneira sumária, sanar possíveis impasses neste campo.

***

Adônis: Jovem de grande beleza, por quem as deusas Perséfone e Afrodite se apaixonaram e entraram em disputa. Zeus, arbitrando a querela, declarou que o jovem passaria um terço do ano com cada uma, e a terceira parte com quem quisesse. Afrodite sempre foi sua favorita, por isso o jovem passava o tempo que lhe cabia com ela.

Androgeu: filho de Minos e Pasifae, príncipe de Creta. Excelente atleta, venceu os Jogos Panatenaicos, mas morreu em Atenas. As causas de sua morte variam, entretanto, em decorrência dela é que Minos declara guerra contra Atenas e vence, dando origem ao tributo de alimento ao Minotauro.

Ariadna: Filha de Minos e Pasifae, princesa de Creta.

Aurora: deusa romana do alvorecer, seu carro precede o carro do Sol. Recebe o epíteto de "aquela dos dedos rosas" pelo tom róseo com que se tinge o céu, quando da sua passagem. Equivale à deusa grega Eos.

Baco: outro nome de Dioniso, deus grego do vinho. Embora também seja um nome grego, foi mais comumente utilizado no âmbito da mitologia romana.

Chipre: na peça, país de origem do príncipe Tebandro. A ilha de Chipre situa-se no Mar Mediterrâneo. Na mitologia grega, foi onde nasceu Afrodite, a deusa do Amor.

Clície: ninfa das águas, apaixonada pelo Sol. Não correspondida, tornou-se uma flor que acompanha o sol em sua trajetória celeste (não confundir com o girassol). É citada em *Lusíadas*.

Cócito: rio das Lamentações, um dos rios do Hades (na peça, aparece grafado "Cocito").

Creta: ilha governada por Minos, onde Teseu luta e vence o Minotauro e se enamora de Ariadna.

Cupido: deus romano do Amor, filho de Vênus, equivalente ao deus grego Eros. Sua representação mais comum é de um menino alado, armado com flechas e arco. A ele é atribuída a responsabilidade pelos enamoramentos.

Dafne: ninfa dos bosques. Cupido fez Apolo se apaixonar por ela, entretanto, a acertou com uma flecha de chumbo, para que ela nunca retribuísse o amor. Cansada de fugir, foi transformada em loureiro, que Apolo determinou como sua árvore sagrada.

Dédalo: inventor e mestre-artesão ateniense. Exilado em Creta após matar um aprendiz, por ciúmes de sua arte.

Diana: deusa virgem da caça, vive livre nos campos, entre os animais e suas sacerdotisas. Nome romano da deusa grega Ártemis.

Empíreo: palavra derivada do grego antigo, que quer dizer "dentro ou sobre o fogo". Todavia, advém da mitologia cristã e se refere ao mais alto dos paraísos, relacionado ao elemento fogo.

Epiro: região grega da península balcânica.

Faetonte: semideus, filho do Sol e de Climene. Tentou guiar o carro do Sol e, por não conseguir dominar os cavalos, acabou causando um cataclismo no Olimpo e na Terra. Neste momento, foi fulminado por um raio de Zeus.

Fedra: filha de Minos e Pasífae, princesa de Creta, irmã de Ariadna e do Minotauro.

Fênix: ave mitológica que renasce das próprias cinzas.

Flora: deusa romana das flores. Na Grécia, é chamada Clóris.

Héracles: o maior herói da mitologia grega, responsável por civilizar o mundo, eliminando monstros. Seu nome romano é Hércules.

Hircânia: região asiática situada perto do mar Cáspio, notável pela ferocidade dos seus animais selvagens.

Ícaro: filho de Dédalo. Quando foram presos no Labirinto de Creta por Minos, após a morte do Minotauro e fuga de Teseu, Dédalo inventou asas feitas de penas e cera para que eles escapassem voando. Ícaro, por sua impetuosidade juvenil, voou muito perto do Sol, que derreteu a cera. As asas, então, se desfizeram e o jovem caiu no mar.

Júpiter: nome romano de Zeus, o deus dos deuses e supremo senhor do Olimpo.

Licas: na mitologia grega, Licas era servo de Héracles. Foi responsável por levar-lhe a túnica envenenada, que acabou matando-o.

Lua: também conhecida como Selene, é filha dos titãs Hipérion e Teia, irmã de Hélio (Sol) e Eos (Aurora).

Marte: deus romano da carnificina. Entretanto, tanto no período da peça, quanto atualmente, é mais conhecido como o deus da guerra. Seu nome grego é Ares.

Minos: filho de Zeus e Europa, rei de Creta. Quando morre, é-lhe atribuída a função de juiz do Mundo Inferior, juntamente com Radamante e Éaco.

Minotauro: chamado Astérion, é o filho de Pasifae e do touro marinho mandado por Poseidon. Foi encerrado no Labirinto desde o seu nascimento e se alimenta de carne humana.

Orbe: é o Mundo. Na verdade, é a forma de denominar qualquer corpo celeste, incluindo a Terra.

Parca: As três parcas (Nona, Décima e Morta) são as divindades que determinam o destino humano. Elas são representadas como três velhas, com apenas um dente e um olho compartilhado entre elas. Na Grécia, são chamadas Moiras: Cloto, Láquesis e Átropos são responsáveis por fiar, enrolar e cortar o fio da vida humana, respectivamente.

Pasife: Normalmente chamada de Pasifae, a filha de Hélio, o Sol, e esposa do Rei Minos, após se enamorar de um touro do rebanho do rei de Creta, dá a luz ao Minotauro.

Plutão: deus do Mundo Inferior. Na Grécia, recebia esta denominação quando se referia à sua ligação com as riquezas extraídas da terra, como o ouro e as pedras preciosas, já que significa "o rico". Mais conhecido como Hades.

Sol: também chamado de Hélio, irmão de Selene (a Lua) e Eos (a Aurora). Sendo um titã, posteriormente foi amalgamado à figura de Apolo, que passou a receber o epíteto de deus-Sol. Por isso, por exemplo, em *O precipício de Faetonte*, a última peça de Antônio José da Silva, o pai do protagonista é Apolo, e não mais Hélio.

Tântalo: rei frígio que, para testar a onisciência dos deuses, serviu-lhes, num banquete, a carne do próprio filho, Pélops. Como castigo por duvidar dos deuses, seu suplício, no Tártaro, constituía-se de viver em meio a vegetação abundante e água límpida e, entretanto, ser impossível saciar sua sede e fome. Quando se aproximava dos frutos, um vento os arremessava para o alto, quando se achegava à água, esta secava e desaparecia.

Tauro: constelação do Zodíaco. Este touro transformado em estrelas é aquele touro em que Europa montou e que a levou até Creta.

Vênus: deusa romana do Amor. Sua face grega é Afrodite.

REFERÊNCIAS BIBLIOGRÁFICAS

ARISTÓTELES. *A Poética Clássica.* Tradução de Jaime Bruna. São Paulo: Cultrix, 2005.

ANDRADE, Mário de; HOLANDA, Sérgio Buarque de. *Correspondência.* Org. Pedro Meira Monteiro. São Paulo: Companhia das Letras, 2012.

BALL, David. *Para trás e para frente:* um guia para leitura de peças teatrais (1983). Tradução de Leila Coury. São Paulo: Perspectiva, 2008.

BRANCO, João de Freitas. "O teatro de 'O Judeu'". In: *História da música portuguesa.* Lisboa: Europa-América, 1959.

BRITO, Ferreira de. *Nas origens do teatro francês em Portugal.* Porto: Núcleo de estudos franceses da UP, 1989.

CALDERÓN DE LA BARCA, Pedro. *Los tres mayores prodigios.* Barcelona: Imprenta de Francisco Suriá, 1763.

CARVALHO, Maria do Socorro Fernandes de. *Poesia de agudeza em Portugal.* São Paulo: Humanitas/ EDUSP/ FAPESP, 2007.

ESCRIBANO, Federico Sánchez e MAYO, Alberto Porqueras. *Preceptiva dramática española.* Madrid: Editorial Gredos, 1965.

FERREIRA, Antônio. *Poemas lusitanos* (1598). Coimbra: Fundação Calouste Gulbenkian, 2000.

HANSEN, João Adolfo. *A sátira e o engenho: Gregório de Matos e a Bahia do século XVII.* (1989) 2a. edição. São Paulo/ Campinas: Ateliê Editorial/ Editora da UNICAMP, 2004.

HAZA, José María Ruano de la. "Un gracioso en busca de un actor: *La villana de Getafe*, de Lope de Vega". In: LORENZO, Luciano García (ed.). *La construcción de un personaje:* el gracioso. Madrid: Fundamentos, 2005.

HYGINUS. *Fabulae.* Trad. e ed. Mary Grant. University of Kansas Publications in Humanistic Studies, n. 34. Lawrence: University of Kansas Press, 1960. Disponível em http://www.theoi.com/Text/HyginusFabulae1.html, acessado em 2012.

LA CRUZ, Juana Ines de. "Amor es más laberinto". *Segundo volumen de las Obras.* Sevilla: Tomas Lopez de Haro, 1692.

MARCH, Jenny. *Mitos Clássicos.* Rio de Janeiro: Civilização Brasileira, 2015.

MARTÍNEZ-BERBEL, Juan Antonio. *El mundo mitológico de Lope de Vega:* siete comedias mitológicas de inspiración ovidiana. Madrid: Fundación Universitaria Española, 2003.

MOYA, Juan Pérez de. *Philosofía secreta de la Gentilidad* (1585). Ed. Carlos Clavería. Madrid: Cátedra, 1995.

OVÍDIO. *Metamorfoses.* Tradução de Paulo Farmhouse Alberto. Lisboa: Cotovia, 2007.

PAVIS, Patrice. *Dicionário de teatro.* Tradução de Jacó Guinsburg e M. Lúcia Pereira. São Paulo: Perspectiva, 2008.

PRADES, Juana de José. *Teoria sobre los personajes de La comedia nueva.* Madrid: Consejo Superior de Investigaciones Cientificas, 1963.

SILVA, Antônio José da. *A critical study and translation of António José da Silva's* Cretan Labyrinth*: a puppet opera.* Tradução e estudo crítico de Juliet Perkins. Lewiston: Edwin Mellen, 2004.

SILVA, Antônio José. *Obras completas.* Prefácio de José Pereira Tavares. Lisboa: Sá da Costa, 1957-1958. 4 volumes.

VEGA, Lope de. "El laberinto de Creta". In: *Decimasexta parte de las comedias de Lope de Vega Carpio.* Madrid: por la viuda de Alonso Martin, a costa de Alfonso Perez, 1622.

VEGA, Lope de. *Arte nuevo de hacer comedias* (1609). Madrid: Cátedra, 2006.

VITORIA, Baltasar de. *Teatro de los dioses de la Gentilidad.* Madrid: Imprenta Real, 1676, 3v.

WILLIAMS, Raymond. *Drama em cena.* Tradução de Rogério Bettoni. São Paulo: Cosac Naify, 2010.

Este livro foi impresso em setembro de 2016, em papel
pólen soft 80g em tipologia Adobe Caslon Pro, corpo 11,5.